TODOS PODEMOS TENER
HIJOS FELICES

TODOS PODEMOS
TENER HIJOS FELICES

CÓMO CULTIVAR LA INTELIGENCIA
EMOCIONAL DE LOS NIÑOS

Jacob Azerrad, Ph.D.

Traducción
Clara Inés Paredes

GRUPO
EDITORIAL
norma

Barcelona, Bogotá, Buenos Aires, Caracas, Guatemala,
Lima, México, Miami, Panamá, Quito, San José, San Juan,
Santiago de Chile, Santo Domingo

Edición original en inglés:
ANYONE CAN HAVE A HAPPY CHILD
de Jacob Azerrad, Ph.D.
Una publicación de M. Evans and Company, Inc.
216 East 49th Street, New York, NY 10017 U.S.A.
Copyright © 1980, 1997 por Jacob Azerrad.

Copyright © 1998 para América Latina
por Editorial Norma S. A.
Apartado aéreo 53550, Bogotá, Colombia.

Impreso por D'VINNI EDITORIAL LTDA.
Impreso en Colombia — Printed in Colombia.

Edición, Ana del Corral y Patricia Torres
Diseño de cubierta, María Clara Salazar
Fotografía de cubierta, Image Bank

Este libro se compuso en caracteres Berling.

ISBN 958-04-4869-8

02 01 00 99   8 7 6 5 4 3

Para Sandy, con amor.
Tú me enseñaste a través de la familia, de los amigos y, sobre todo, de tu cariño, que la vida es ante todo "amor y trabajo".

CONTENIDO

PREFACIO

El título original de este libro era *Cómo educar positivamente a los niños*. Por sugerencia de mi editor, cambió a *Todos podemos tener hijos felices*. Debo admitir que en ese momento tenía dudas sobre el título. Ya no las tengo. De hecho, ése es exactamente el tema del libro. Es lo que todos los padres desean para sus hijos y lo que muchos me han dicho con esas mismas palabras. Los héroes de la Independencia dijeron que tenemos el "derecho inalienable" a "buscar la felicidad". Este libro les dará a los padres las herramientas para buscar y alcanzar esa meta para sus hijos.

Pero la felicidad es un término vago. ¿Qué es exactamente la felicidad? ¿Qué es un niño feliz? Durante muchas décadas los miembros de mi profesión nos han conducido por el camino de la "comprensión", que con mucha frecuencia nos ha llevado a "comprender", pero a cambiar muy poco, el comportamiento y los sentimientos. En ese proceso, han sido responsables de una teoría del comportamiento que pasa por alto una clave muy importante de la felicidad. Nos han alentado a buscar los significados inconscientes, profundamente arraigados, que subyacen al comportamiento, y entre tanto han dejado de lado los comportamientos mismos. Los comportamientos son la clave de la felicidad, porque son los elementos con los que se construyen los sentimientos de autoestima, los cuales, en el análisis definitivo, harán innecesario gastar años buscando al llamado "niño interior".

Hace muchos años un hombre llamado Sigmund Freud dijo que las dos cosas más importantes en la vida eran "lieben und arbeiten", amor y trabajo. Tenía razón, pero sus métodos aportan poco a la forma de lograr el éxito en estas dos áreas cruciales de la vida. Las conductas son la clave para alcanzar el éxito tanto en el amor como en el trabajo. Éstas pondrán a su hijo en contacto con las múltiples alegrías de vivir en esos dos aspectos esenciales de la vida humana: relaciones interpersonales (amor) y metas (trabajo).

Concibo la conducta, en su aspecto más sencillo, como el intento del individuo por hacer la vida más satisfactoria, por ponerle energía y placer, de la mejor manera posible para cada uno. Algunas veces, la "mejor" manera que una persona conoce es inadecuada y, con frecuencia, el resultado es una persona infeliz.

Otras veces, la forma como un individuo se comporta le genera afecto, cariño y éxito, cosas que pueden representar la felicidad.

Durante los treinta años que he trabajado como psicólogo clínico con familias de niños que han aprendido comportamientos inadecuados, he ido desarrollando gradualmente los métodos descritos en este libro. Ellos les ayudan a los padres a ser *mejores* padres, mostrándoles cómo enseñarles a sus hijos formas de comportarse que los pongan en contacto con el sinnúmero de satisfacciones que ofrece el mundo. Los métodos son efectivos y fáciles de aprender, de tal manera que no es raro que los padres vuelvan después de unas pocas sesiones y me digan que el problema que discutimos unas semanas antes ya no es un problema. Y casi invariablemente añaden que "... no han hecho nada distinto".

Pero en realidad, sí han hecho algo distinto. Y esto ha tenido un impacto importante en la conducta y en los sentimientos de su hijo. Sin embargo, como se trata de algo tan simple y que está tan arraigado en el sentido común, es difícil para los padres creer que han sido útiles en generar un cambio real y duradero. Por otra parte, estos métodos no sólo son efectivos al trabajar con niños que tienen problemas de comportamiento, sino que les proporcionan a los padres formas de enseñarles valores y conductas positivas a sus hijos.

La reflexión que fundamenta los métodos descritos en este libro es el resultado de dos influencias convergentes. Mi formación inicial en teoría psicoanalítica me enseñó a concebir el comportamiento dentro del contexto de la persona total, no como un componente aislado de dicha persona. Sin embargo, esta forma de pensar, aunque proporciona la actitud con la que manejo los problemas de los niños, no da respuestas efectivas a los interrogantes de las conductas y sentimientos cambiantes. Así, los métodos que utilizo se derivan de la segunda influencia, mi formación conductista.

El niño rebelde, que ahuyenta con su comportamiento a otros niños (así como a los padres) no debe ser visto como un niño irritable, sino como alguien que está buscando contacto humano. Ha aprendido formas de atraer a la gente, pero más por *rabia* que por simpatía y cariño hacia él. Debe aprender primero una forma de comportarse que atraiga a las personas porque lo estiman, una forma de comportarse que le genere simpatía y *afecto*. Luego le podemos ayudar a aprender a dejar atrás esos comportamientos que le atraen una atención inmediata pero menos satisfactoria. Otros niños, posiblemente debido a anteriores experiencias dolorosas, se concentran en sí mismos en busca de sus satisfacciones. Se vuelven retraídos y aislados, organizan una "Disneylandia" interna y se escapan hacia un mundo de fantasía que los separa de las gratificaciones reales de la vida. A ellos también se les pueden enseñar conductas que les generen simpatía y afecto en el mundo que los rodea.

Lo más importante para todos los niños es tener un repertorio adecuado de comportamientos que les ayude a construir bases interiores sólidas para la felicidad; conductas que perduren hasta mucho después de la niñez, durante toda la vida. Forjar sentimientos de amor propio y de autoestima, que los padres pueden cultivar y que son la boleta de entrada al mundo de la satisfacción, el éxito y la felicidad.

JACOB AZERRAD, PH.D.
Lexington, Massachusetts

Capítulo uno

TODOS PODEMOS TENER HIJOS FELICES

Es verdad: todos *podemos* tener hijos felices. Pero eso no significa que todos lo logremos. En ninguna parte dice que la felicidad es algo que automáticamente nosotros o nuestros hijos merecemos en la vida sólo por estar vivos.

No está garantizada por el Estado ni protegida por la ley. No es un derecho como la seguridad social.

Si usted ha leído con cuidado la Constitución de su país, sabe que la felicidad *no* es uno de nuestros derechos inalienables, junto con la vida y la libertad.

Lo que sí se incluye como un derecho es "la *búsque-da* de la felicidad". Se sabe que alcanzarla exige traba-jo y que sólo se logra con esfuerzo, ya sea para nues-tros hijos o para nosotros.

Muchas personas no lo entienden. Los psicólogos les dicen que sigan sus instintos en la crianza de sus hijos, pero ésas son tonterías; no hay instintos que ayuden a manejar la mayoría de los requerimientos de la crianza de un niño. El proceso tiene que ver con la conducta aprendida. Involucra el criterio de los padres. Los ins-tintos o la selección natural no garantizarán de ningu-na manera que un niño sea feliz.

La "felicidad" y la "infelicidad" no son fáciles de definir, pues son palabras con muchos significados. Son palabras interpretativas más que objetivas. Las usamos para expresar nuestras interpretaciones de los resultados del comportamiento más que sus causas, y allí reside la clave para criar un niño feliz.

La felicidad viene del regalo más preciado que un padre le puede dar a un hijo: el regalo de la conducta apropiada. A medida que ayudamos a nuestros hijos a asumir la responsabilidad de su vida y les enseñamos cómo llegar a ser adultos felices y exitosos, también logramos nuestro éxito. Así funciona la felicidad.

Este libro trata sobre la búsqueda de la felicidad. Le ayudará a equipar a su hijo con las habilidades, los hábitos y la seguridad que todos los niños necesitan para buscar y alcanzar su realización.

Y al ayudarle a usted a ser un padre más efectivo, también le ayudará a ser más feliz.

HAY CIERTAS REGLAS...

Bien sea que usted crea en Dios, en la teoría darwiniana de la evolución, o en ambos, es obvio que la raza humana ha sido equipada con una serie de mecanismos para la supervivencia de la especie. Uno es el apetito por la comida. Otro es nuestro instinto sexual. Un tercero es la crianza de nuestra descendencia.

Por sí solos, nuestros instintos no tienen ninguna relación con tener un hijo feliz o, en el mismo sentido, con ser adultos felices.

Hasta cierto punto, nuestro apetito por la comida, nuestro deseo sexual y el impulso de cuidar a nuestros hijos son instintivos, pero existen límites. El instinto no nos enseña a manejar un cuchillo y un tenedor, no nos instruye sobre el protocolo de las citas amorosas y no siempre nos dice cómo darles a los niños el tipo de amor y disciplina que necesitan para realizarse y prosperar. Para lograr esto los seres humanos han sido bendecidos con la capacidad de aprender.

Para apoyar esa capacidad, quienquiera que nos haya creado nos ha dado un cerebro muy poderoso, muy superior al de otras especies. Gracias a este atributo, hemos podido ir y volver con seguridad de la luna, construir puentes sobre grandes ríos y edificios que llegan al cielo, y enviar en un instante fotos a color alrededor de medio mundo.

Además, vivimos en un universo ordenado, regido por leyes: el día sigue a la noche, el invierno viene después del verano, el cometa Halley pasa cada setenta y seis años, las mareas suben y bajan dos veces al día. El hombre utilizó su cerebro para predecir muchos de estos patrones de la naturaleza, miles de años antes de que existiera la primera computadora.

Entonces, con todo esto a nuestro favor, ¿por qué se nos dificulta tanto entendernos bien con los demás y criar a nuestros hijos?

La respuesta es que la mayoría de nosotros no ha aplicado todo el potencial del cerebro para comprender los mensajes de nuestros genes y para aprender las lecciones más sencillas sobre el papel que desempeña la ley natural de la acción y la reacción en las relaciones humanas. En este mundo hay muchísimos dolores y sufrimientos inútiles, simplemente porque aún no hemos aprendido a manejar con efectividad la manera de comportarnos.

Todos estamos sujetos a las mismas sencillas leyes naturales. Pero muchos todavía ignoramos el poder que tienen en nuestra vida, y pocos saben cómo utilizarlas en nuestro provecho.

No hemos aprendido a crear la felicidad.

MÁS ALLÁ DEL SENTIDO COMÚN

Una razón importante por la que no entendemos nuestro comportamiento es que han existido muchas ficciones complicadas, risibles y algunas veces aterradoras, sobre las razones por las cuáles las personas actúan de cierta forma.

Los antiguos griegos creían que nuestro destino estaba prescrito en una especie de lotería, de acuerdo con el equilibrio entre nuestros distintos humores naturales.

Los puritanos de Salem, del siglo diecisiete, explicaban el comportamiento alarmante, malvado o excéntrico en términos de brujas, demonios y posesión.

Sigmund Freud nos dijo que nuestro comportamiento era el resultado de fuerzas inconscientes con nombres como ego, id y superego, que luchaban como dioses antiguos en nuestra cabeza y por nuestra alma.

Mucho de lo que creemos saber sobre nosotros mismos fue escrito por falsos profetas. La mayor parte de la conducta humana tiene muy poco que ver con "humores"; ego, id y superego; o con demonios y posesión.

En cambio, tiene todo que ver con algo tan encantadoramente simple que, hasta hace muy poco, casi nadie le había puesto atención. Tiene que ver con el aprendizaje.

EL APRENDIZAJE Y LA LEY DE LA ACCIÓN Y LA REACCIÓN

Hace tres siglos, Isaac Newton observó que para cada acción existe una reacción igual y opuesta. Su tercera ley del movimiento podría así mismo aplicarse a la dinámica del comportamiento humano. Aprendemos cuando reconocemos las consecuencias, buenas y malas, que se producen por nuestra forma de actuar.

Si pensamos en el sexo, por ejemplo, las consecuencias positivas de acciones emocionalmente inteligentes comprenden desde la gratificación física y el establecimiento de una relación amorosa, hasta la preservación de la especie. Las consecuencias positivas de una dieta inteligente pueden ser buena salud y una larga vida. Una paternidad inteligente, desde el punto de vista emocional, libera el potencial de nuestros hijos y enriquece toda nuestra vida.

Las personas maduras y exitosas determinan lo que hacen y la forma como lo hacen basadas en su comprensión de las acciones y reacciones naturales. Si ponemos nuestra comida al fuego, sabe mejor y es más saludable, pero si ponemos nuestra mano en el fuego nos quemamos. Podemos ponernos ropa de tela de algodón, pero no de hiedra venenosa. Hay límites en qué tan alto podemos escalar sin riesgo y qué tanto podemos caer sin hacernos daño.

Para los niños, las acciones y las reacciones naturales más potentes, las que más les enseñan sobre su vida y establecen el patrón de lo que vendrá después, son las relacionadas con los sentidos y los sentimientos.

Todos los padres quieren la felicidad para sus hijos. La forma de asegurar que la consigan es proporcionarle al niño un mundo que estimule las conductas que generan felicidad.

Por ejemplo, el amor propio es uno de los resultados que logran los padres al enseñarle a su hijo un repertorio apropiado de comportamientos. Lo que los niños piensan de ellos mismos se debe, en primer lugar y sobre todo, a la forma como son tratados por sus padres, en especial en lo que se refiere al estímulo de conductas apropiadas. Cualquier padre puede producir mejorías fantásticas en la forma de comportarse de un niño, algunas veces casi de la noche a la mañana, simplemente al cambiar de manera creativa la forma en que responde a las conductas del niño.

EL AMOR Y EL TRABAJO

Aunque no venero a Sigmund Freud, cuando él dice que los dos elementos fundamentales para la madurez son el amor y el trabajo, estoy de acuerdo con él. El amor en el sentido más amplio del término se refiere a las habilidades sociales: cómo nos llevamos con los demás, cómo nos relacionamos con los que nos rodean de una forma que conduzca al éxito y a la felicidad.

Estas habilidades son una gran parte de lo que Daniel Goleman llama "inteligencia emocional". Los niños que aprenden un comportamiento emocional-mente inteligente tendrán más éxito en este mundo que aquéllos cuya inteligencia se mide únicamente por su cociente intelectual.

El otro elemento fundamental es el trabajo.

El primer trabajo de un niño es conocer el mundo. Con el estímulo adecuado, la alegría de estar siempre descubriendo conducirá a una sed permanente de aprender. También llevará a tener un objetivo y, aún más importante, a la autoestima. Los niños exitosos desarrollan un temprano sentimiento de que sus vidas son significativas para otros, de que pueden marcar una diferencia, de que su destino en este planeta es contribuir a una meta útil, sentimiento que no tiene necesaria relación con la decisión de un niño pequeño de ser vaquero un día y enfermera al siguiente.

El amor y el trabajo no existen en el vacío, funcionan a través de la conducta, que es algo que los niños aprenden de sus padres. A su vez, los padres tienen que aprender técnicas sencillas y naturales para cultivar en sus hijos el repertorio de comportamientos que los llevará a alcanzar el éxito en el amor y el trabajo. Lo que les enseño a los padres es cómo estimular los comportamientos que lograrán el éxito en estas dos áreas básicas de la vida.

Usted también puede aprender conductas que recompensarán la vida de su hijo, ahora y en la edad adulta, con éxito y satisfacción.

PRÉSTAME ATENCIÓN

En el niño hay dos tipos de llanto, el de respuesta y el operante, y los dos tienen propósitos diferentes. El llanto de respuesta es el resultado de eventos previos. Es el que sucede cuando un niño tiene hambre, siente dolor, necesita un cambio de pañal, o siente cualquier otra cosa desagradable que lo lleva a protestar de la única manera que sabe. El llanto de respuesta dice:

"Ayúdame a aliviar el dolor o la incomodidad que siento. Cuídame".

El otro tipo de llanto dice, "préstame atención, necesito tu amor, tus besos, quiero contacto humano". Operante es la palabra que designa el comportamiento controlado por las consecuencias. La mayor parte del comportamiento es operante.

Si usted y yo estuviéramos hablando en este momento, una manifestación sutil de interés o impaciencia de su parte controlaría mi comportamiento. Si usted asiente y sonríe con estímulo o aceptación, mi propio entusiasmo aumentará, probablemente junto con la velocidad de mi exposición y el nivel de mi voz. Si usted mira alrededor del cuarto, mira el reloj, o empieza a bostezar, bajaré el tono y el volumen o dejaré de hablar. Los participantes en una conversación generalmente regulan su comportamiento por la acción y la reacción.

Los vendedores hacen caso omiso de los signos operantes que obtienen en la conversación, hasta que producen la reacción que buscan. Esto no se produce naturalmente y deben entrenarse para permanecer centrados en su propio objetivo. Por ejemplo, en un debate presidencial los contendores ensayan durante horas para evitar responder a las fuertes objeciones operantes de sus adversarios. En la conversación normal, esos signos los llevarían a preguntas diferentes de las que cada uno querría responder.

Si nos relacionamos con nuestros hijos de la manera incompleta o unilateral que se utiliza en una relación vendedor-comprador o en un debate, los resultados pueden ser muy costosos. Hace muchos años, un estudio de dos grupos de mujeres que dieron a luz en prisión ilustró dramáticamente lo que puede pasar cuando la vida de los niños está regida por reglas antinaturales y cuando reciben respuestas inadecuadas a las necesidades fundamentales.

En una prisión, la organización del alojamiento permitía que los niños estuvieran en el mismo cuarto que sus madres. En la otra, las autoridades resolvieron que las cosas funcionarían mejor si se separaba a los niños de sus madres desde el nacimiento y eran cuidados por enfermeras. A todos los niños de ambos grupos se les dio todo lo que querían o necesitaban en cuanto a comida, vestido, calor y abrigo, pero mientras que la relación numérica madre-hijo en la primera prisión era de uno a uno, en la otra la proporción de enfermeras y pequeños a su cuidado era casi de uno a doce.

Debido a la disparidad y a que el vínculo materno proporciona un impulso mucho más fuerte que la mejor de las intenciones, la distribución de abrazos y afecto físico también fue muy diferente. A los niños de la primera prisión se les alzaba y mimaba todo el tiempo, mientras que a los de la segunda casi no.

Todos los niños que estaban al cuidado de sus madres terminaron el estudio. De aquéllos cuidados por enfermeras, más de uno de cada tres murió antes de terminar el estudio. No hubo maldad ni maltrato evidente. Lo que sucedió fue que el comportamiento "préstame atención" fue en gran medida pasado por alto, en parte debido a las diferencias logísticas y en parte porque un padre tiene, por naturaleza, una mayor relación física con un niño que una persona a quien se le paga por cuidarlo. La causa de muerte no fue nada más triste que la forma más común de descuido.

El llanto operante es sólo una forma de conducta que indica que el niño necesita algo esencial. Si la necesidad deja de satisfacerse continuamente, las lágrimas cesarán a medida que el niño crece, pero serán remplazadas por otro comportamiento que también significa "Préstame atención".

Hay dos razones por las cuales los padres deberían atender a su hijo: por nada, simplemente porque lo aman, y para estimular el comportamiento que hará que el niño se sienta orgulloso.

EL OBSEQUIO DEL COMPORTAMIENTO

Damos a nuestros hijos el obsequio del comportamiento cuando estimulamos aquellas primeras palabras, "mamá, papá". Lo damos cuando llamamos a la abuelita en presencia de nuestros hijos para compartir acontecimientos importantes de su desarrollo, tales como los primeros pasos, o sólo para poner nuestro amor en palabras. La capacidad de comunicarse es una herramienta esencial mediante la cual los niños encuentran la felicidad, y estimulamos esta forma de comportamiento cuando les mostramos la manera de hacerlo y cuando notamos y elogiamos su progreso en el desarrollo de sus propias habilidades.

Muy pocos padres necesitan que se les diga que deben estimular el desarrollo del lenguaje en sus hijos. Eso se da naturalmente. Tampoco necesitamos decirles cómo alentar aquellos primeros pasos o las primeras sonrisas. El resultado de este estímulo es un niño que nunca deja de hablar o de caminar, y ojalá, que nunca deja de sonreír.

Sin embargo, la sonrisa requiere más que el estímulo de esa conducta; debemos alentar acciones que produzcan sonrisas de orgullo y éxito. Debemos estimular los comportamientos que producirán felicidad.

No siempre es fácil. Vivimos en un mundo bello

pero complejo, un mundo que tiene el potencial de producir mucha felicidad pero también mucho dolor y sufrimiento. Entonces, ¿cómo podemos nosotros como padres maximizar la felicidad de nuestros hijos y minimizar el dolor?

Comenzamos identificando lo que nuestro hijo necesita aprender como parte del proceso de crecimiento. Necesitamos enseñarles a nuestros hijos los comportamientos que les producirán satisfacciones en este mundo. Debemos enseñarles a amar y a trabajar.

Consideremos el período que llamamos arbitrariamente los "terribles dos". Ésta no es más que la época en la que el niño aún no ha aprendido que vivimos en un mundo en el que no siempre podemos obtener lo que queremos. Para manejar los "terribles dos" — la dificultad del niño para aprender a manejar la frustración — les enseño a los padres a fomentar comportamientos que muestren cómo aceptarla con calma.

Esta forma de estímulo debe ir más allá del elogio. Los elogios pasan en pocos segundos. Los padres deben llevar un diario de los comportamientos positivos de su hijo, y más tarde, probablemente una hora después, tomarse el tiempo para estimularlos explícitamente. "Estabas jugando en la casa de Juan, sé que querías quedarte todo el día. Pero cuando llegó el momento de partir, te despediste, buscaste tu chaqueta y te fuiste a casa en calma. Estoy orgulloso de ti, fuiste muy maduro. Manejaste la frustración como un niño grande".

Con mucha frecuencia los niños asimilan esta información en silencio, pero recuerdan haber recibido exactamente el tipo de atención que necesitan — aprobación, amor — después de haber tenido el tipo de conducta que necesitan aprender. La atención no es algo pasajero que termina con el suceso; es una respuesta prolongada en el tiempo, que extiende la gratificación y asocia el recuerdo de este comportamiento a otras partes de la vida. Los niños se hacen notar de manera positiva cuando asumen la frustración con calma, y para ellos la mejor parte es que esto representa la confirmación de que están creciendo.

LOS NIÑOS SIN AMIGOS

Cuando los niños se van quedando aislados de los que los rodean, tienden a ocuparse sólo de sí mismos y a pensar que el todopoderoso Yo es el centro del mundo. A los niños que no tienen amigos se les debe enseñar, a través del estímulo, cómo dejar de ser el centro y enfocarse en los demás. (A esta actitud que se centra en el otro la llamaré comportamiento tipo

Madre Teresa.) En los casos de rivalidad entre hermanos, esto significa estimular el cariño fraterno.

A pesar de que el axioma del siglo diecinueve "los
niños deben verse mas no oírse" puede sonar en la
actualidad como una receta desastrosa, no hay que
descartar un aspecto válido. Los comportamientos que
los padres deben enseñarles a sus hijos son comportamientos silenciosos, que no exijan atención ni sean
muy notorios. Y los padres deben sensibilizarse hacia
estas preciadas conductas y aprender la manera de estimularlas. Por otra parte, si los niños se dan cuenta de
que no obtienen atención por comportamientos apropiados, siempre la podrán obtener rompiendo la calma. Las dos cosas más importantes que trabajo con los
padres son ayudarles a identificar las áreas problemáticas y luego enseñarles a estimular comportamientos
apropiados, evitando alentar al mismo tiempo actitudes que pretenden perturbar o impresionar.

NO SOMOS TAN ESPECIALES COMO NOS GUSTARÍA

Algunas veces me siento avergonzado de ser psicólogo, cuando reviso toda la mitología que mi profesión
ha desarrollado para explicar la razón del comportamiento de las personas. ¿Por qué no tomar la natura-

leza en su valor nominal? Actualmente podemos reírnos y sentirnos superiores a nuestros antepasados por la forma en que ellos reaccionaban cuando se decía que la Tierra no era el centro del sistema solar, pero aún hoy encontramos esta misma manera de pensar.

Sospecho que la mayor razón por la cual muchas personas son reticentes a aceptar la teoría de Darwin, es porque aún no nos podemos deshacer de la visión de la humanidad como algo especial en la Tierra y en el universo. Con seguridad ésta fue la razón por la cual Galileo fue juzgado por la Inquisición, y tiene mucho que ver con la razón por la cual El Vaticano tardó en perdonarlo casi cuatrocientos años después de haber sido reivindicado por la ciencia. Darwin fue lo suficientemente inteligente como para describir a la humanidad como "el prodigio y la gloria del universo", pero no fue muy bien acogido cuando sugirió simultáneamente que estamos un peldaño arriba de los monos.

"Algunas personas se incomodan con la idea de que los humanos pertenecen a la misma familia de animales que los gatos, las vacas y los mapaches — dice Phil Donahue en su libro *The Human Animal*. No suena suficientemente digno. Son como las personas que tienen éxito y luego no quieren que se les recuerde su antiguo vecindario".

Cuando B.F. Skinner dijo que nuestro comportamiento no es especial — que está regido por las mismas leyes del aprendizaje que rigen a los animales inferiores — no ganó mucha popularidad. Pero el hecho es el mismo, somos parte de este universo y de alguna manera no somos tan especiales como nos gustaría creer.

Es posible que una de las razones por las que hay tanto dolor en el mundo es que, como animales, tenemos un defecto inherente: para sobrevivir en la selva teníamos que ser muy sensibles al peligro, a las cosas escandalosas y potencialmente peligrosas o mortales, y los humanos que carecían de esa sensibilidad en su código genético no sobrevivieron. Como resultado, no somos ni remotamente sensibles a las cosas tranquilas.

Skinner dice que al alimentar conductas tranquilas debemos recordar que es un proceso silencioso y que debemos ser deliberados en nuestro refuerzo positivo. En contraste, al alimentar comportamientos ruidosos no necesitamos usar el cerebro, pues está en nuestro código genético.

REESCRIBA LA FUTURA HISTORIA EMOCIONAL DE SU HIJO

A pesar de nuestro legado animal, cada uno de nosotros nace con su propio temperamento y carácter individual sobre los que se impone nuestra experiencia, y como especie somos altamente dependientes del aprendizaje.

Los padres tienen una relación única con sus hijos, que forma y establece su manera de pensar para toda la vida. Lo que los padres dicen y hacen puede hacer que el niño y el futuro adulto sea orgulloso, seguro y feliz, o todo lo contrario. Los sentimientos positivos que un padre siembra en el corazón de un niño duran tanto como los aportes negativos que pueden descarriar y destruir.

Trabajo continuamente con adultos que tienen serios problemas pues arrastran desde la niñez una pesada y dolorosa carga. A pesar de la evidencia que indica lo contrario, aún creen que son tontos, feos, que no inspiran cariño, que no valen como personas, debido a que sus propios padres les dijeron eso cuando niños, en un momento en el que las cogniciones eran inmaduras y las emociones dominaban. Aun usando técnicas conductistas enfrento dificultades para cambiar las viejas grabaciones del pasado.

Hay un período en el que la cognición intelectual de cada niño es muy primitiva y aprenden a través de sus emociones, en el nivel de los sentimientos. En ese período de la vida, cuando los padres los critican y hacen comentarios negativos, graban sistemas de creencias que duran toda la vida y son tremendamente resistentes al cambio. Años después, a pesar de que los niños ya son adultos y pueden saber desde el punto de vista intelectual que algunas de las cosas que aprendieron son falsas, las mentiras estampadas con tinta indeleble en los mapas que recibieron como niños, aún determinan la manera en que se perciben a sí mismos y su comportamiento.

Si los padres aprenden a estimular las conductas positivas de los hijos — a cultivar las respuestas estimulantes — antes de la adolescencia, pueden utilizar este aprendizaje para imprimir un mapa de verdad y de amor que guiará a sus hijos por los senderos seguros y felices por donde estaba previsto que vivieran su vida.

Capítulo dos

LOS NIÑOS NO NECESITAN PSICÓLOGOS, NECESITAN PADRES

Usted es el mejor maestro de sus hijos y su mejor terapeuta.

Por ejemplo, Pedro puede ser muy bueno para hacer y cultivar amigos, o se puede enemistar con todos los niños que conoce. Si es bueno para socializar, seguro que aprendió mucho de lo que sabe de sus padres. Y si no lo es, puede incluso que ni siquiera sepa que tiene un problema que necesita solución. Es más probable que sean sus padres, no Pedro, quienes detecten el problema y traten de hacer algo al respecto.

Todos los padres quieren lo mejor para sus hijos. Quieren que tengan amigos, que les vaya bien en el colegio, que aprendan a ser responsables, a ser sinceros, amorosos y amables, y a tener un buen concepto de sí mismos. Quieren que sus hijos sean felices.

Los padres quieren estas cosas para sus hijos independientemente de cómo sean ellos o lo que consideren como sus propios fracasos.

No hay padres "malos". Nadie se propone deliberadamente hacerle daño a su hijo, incluso si tiene problemas en el manejo de su propia vida. Aunque no se consideren ellos mismos como adultos felices, siempre esperan tener hijos felices, con valores fuertes y abiertos a todas las satisfacciones que ofrece la vida.

Entonces, ¿por qué no tratar de ser "mejores" padres? La razón principal por la cual los padres buscan ayuda profesional es porque necesitan alguien que les explique clara y sencillamente la razón del comportamiento de sus hijos. Necesitan comprender cuál es el papel que los padres desempeñan en realidad en la educación de los hijos, en la orientación de su comportamiento y en la enseñanza de las conductas adecuadas y valoradas.

El comportamiento de los niños, bueno o malo, está relacionado directamente con las consecuencias que ese comportamiento produce. En casi todos los casos, los niños actúan de la manera que más les conviene. Y como respuesta a ese comportamiento, generalmente los padres los recompensan con tiempo y atención y un alto grado de compromiso con sus hijos. A los niños no les importa si son recompensados por comportamientos que los adultos consideran buenos o malos. De todos modos, es probable que la conducta recompensada continúe. Depende de los padres ser selectivos a la hora de decidir qué comportamiento recibe atención positiva, debido a que antes de la adolescencia los padres son las personas más influyentes en la vida del niño.

Al comprender la realidad de la conducta de su hijo, al establecer diferencias adecuadas en su respuesta y al utilizar sus grandes poderes de elogio y aprobación, usted puede ser un mejor padre, y puede tener un hijo feliz.

¿DÓNDE ESTÁ CARLOS?

Ésta es la clave de todas las recomendaciones que les doy a los padres que me consultan sobre problemas de comportamiento. A pesar de ser un "psicólogo infantil", rara vez conozco personalmente a los niños con quienes trabajo. Con frecuencia ni siquiera veo al niño, a pesar de que algunas veces la madre trae una foto y dice: "Debe saber cómo es Carlos". Al final de nuestra relación, a pesar de que Carlos nunca ha estado en mi consultorio, su madre me asegura que su comportamiento ha mejorado considerablemente. En vez de pasar horas interminables jugando con Carlos y hablando con él sobre su conducta, les he enseñado a sus padres a ser sus profesores y/o "terapeutas".

Este método funciona. Los principios que les enseño a los padres pueden ser aplicados por cualquiera a la educación de los niños, y pueden apoyar a los padres a ayudar a los niños que han aprendido comportamientos "negativos" (y que muy probablemente son niños "infelices") a descubrir nuevas y más satisfactorias maneras de comportarse.

Usted es el mejor maestro de su hijo. Pedro no va a querer al terapeuta o psicólogo. Si no tiene un vínculo natural con la persona que lo cuida, no necesita ni quiere la atención o aprobación de ésta. Desea amor y atención de sus padres. Con frecuencia ni siquiera le interesa hablar sobre su comportamiento con un terapeuta. Muy seguramente ya estará recibiendo eso de su mamá y papá. Finalmente, no está interesado en perder su tiempo de juego visitando el consultorio de una persona que escasamente conoce. Con seguridad prefiere pasarlo haciendo algo agradable.

El ambiente del consultorio es artificial para un

niño. El sitio donde presenta problemas de conducta es la casa o el colegio. Así mismo, las consecuencias del comportamiento suceden en el hogar, donde el tiempo, la atención y el elogio por la conducta positiva, o la corrección por la negativa, deben provenir de las personas que más importan: los padres.

Con frecuencia los padres se sorprenden de que pueda trabajar con niños a los que rara vez conozco. "¿No necesita conocer al niño?", preguntan. "¿Cómo puede confiar en lo que un padre o una madre le cuentan?"

Puedo confiar mucho en las observaciones de los padres siempre y cuando éstos miren la realidad del comportamiento en vez de interpretar su significado.

Por ejemplo, una madre puede decir que su hijo es celoso, inmaduro, irresponsable, tímido, triste, hiperactivo, colérico o que está deprimido. El niño "odia el colegio" o "no confía en mí". Cualquiera de estas expresiones que describen un comportamiento pueden significar cosas diferentes para distintas personas.

¿Qué significa exactamente "celoso" para la madre de un niño en particular? No sólo significa que el niño parece estar teniendo sentimientos de celos, sino que hace cosas específicas: "Arroja los juguetes o le da una rabieta cuando le pongo atención al bebé". Esa descripción objetiva del tipo de conducta que expresa celos identifica lo que la madre quiere que su hijo cambie: no más rabietas, no más juguetes tirados.

¿Qué quiere decir una madre con "inmaduro"? Lo define diciendo que quiere que Carlos sea más "adulto". ¿Cómo se traducen estas dos palabras abstractas en acciones concretas? Debe examinar el comportamiento específico de Carlos para determinar lo que quiere decir por "inmaduro" e identificar con precisión lo que considera "adulto".

Carlos tiene ocho años y no se amarra los zapatos a pesar de que sabe hacerlo. Su madre tiene que hacerlo por él. Necesita ayuda para vestirse. No recoge sus cosas cuando se le pide que lo haga. Ahora es fácil para la madre ver las manifestaciones específicas de la inmadurez, las cuales quiere que su hijo cambie: quiere que haga las cosas solo, que mantenga su cuarto organizado, en fin, que haga las cosas que significan "madurez".

MIRE A SU HIJO CON NUEVOS OJOS

Ser objetivo sobre los problemas de conducta es el primer paso para aprender a mirar a su hijo con el tipo de perspectiva que permite el cambio. Hay un segundo paso, que es incluso más importante: debe aprender a mirar a su hijo de una manera que le permita descubrir los comportamientos callados, valiosos y bellos que siempre están presentes en miniatura. Con demasiada frecuencia esas conductas pasan inadvertidas y sin estímulo, debido a que le ponemos más atención al comportamiento que produce turbulencia.

Algunas veces los esfuerzos de un niño por ser adulto y responsable, por mostrarse cariñoso, por hacer amigos, por aprender nuevas cosas son tan comunes para los ojos adultos y tan pasajeros que pasan inadvertidos o se olvidan al instante. Si el comportamiento no es percibido o se olvida, el niño no tiene manera de saber que ésta es la conducta que los padres consideran valiosa y apropiada. Si el comportamiento no ha sido estimulado dentro del hogar, el niño lo podrá repetir por azar, pero es poco probable que lo repita porque usted lo quiere.

Como con mucha frecuencia tener buenas noticias significa que no haya novedades, las malas noticias (o el mal comportamiento) nos dan algo de qué hablar, y eso es lo que hacemos. El "mal comportamiento" rara vez pasa sin comentarios.

Si Sofía se sienta a comer y se come lo que tiene en el plato, nadie lo va a notar. Si Sofía tira su plato al piso y rehúsa comer va a obtener una respuesta inmediata. La gente le va a poner atención. Así, esta atención estimulará a Sofía a hacer lo mismo en la siguiente comida. Lógicamente, si recibiera la misma atención por terminar su plato sin protestar, volvería habitual este comportamiento.

En el primer caso, a pesar de la atención, no se puede considerar que Sofía sea feliz. En el segundo, es más probable que lo sea si sus padres responden de manera positiva a este comportamiento común, previsible y positivo.

"¿QUÉ ESTAMOS HACIENDO MAL?"

Cuando la madre de Juan mira por la ventana de la cocina una tarde de primavera, ve que Juan y Federico, el vecino, están lanzando un *frisbee*. Luego ve lo que ha venido observando con demasiada frecuencia en estos días: Juan insiste en lanzar por segunda vez pues no le gustó el resultado del primer lanzamiento. Federico protesta. Se supone que están jugando por turnos. Ahora Juan se enfada porque no va a lograr lo que quiere. Se burla, provoca a Federico y lo golpea. Ésta es la gota que rebosa la copa, Federico toma su *frisbee* y se va a su casa. Siempre pasa lo mismo.

"¿Qué voy a hacer con el niño?", dice desesperada la mamá de Juan. "Sólo tiene nueve años, pero ya aprendió a perder amigos, si es que logra hacerlos".

Cuando Juan entra, ella lo sienta a la mesa de la cocina.

"Juan, te lo he dicho cien veces, ¿cómo crees que vas a tener amigos si no juegas limpio?"

Juan encoge los hombros.

"Si no te portas mejor, uno de estos días no va a volver. ¿Te gustaría que Federico te tratara así? ¿No te da tristeza no tener amigos?"

Juan admite que está triste. No sabe por qué se comporta así.

"Me gustaría que me dijeras qué es lo que te molesta", dice su madre. "Debe haber algo que te impide llevarte bien con otros chicos. ¿Hay algo que te preocupa?"

Juan está dispuesto a hablar sobre ello, pero parece que no están llegando a ninguna parte en la solución del problema. Quince o veinte minutos después, la mamá de Juan termina la charla. Puede que haya hecho bien. Eso espera, pues un niño de nueve años que no puede entenderse con otros niños de su edad tiene un problema.

Unos días después, convencen a Federico para que vuelva a casa de Juan a jugar béisbol. La madre vuelve a observar el juego desde la ventana, y cuando Federico le lanza a Juan un *strike* perfecto se puede oír que éste exclama: "¡Gran tiro!" El juego sigue en paz y por primera vez no hay problema.

Ese día, cuando Juan entra en la casa, su madre está ocupada. No menciona el juego, al fin y al cabo se desarrolló normalmente.

"¿Quién ganó?", pregunta.

"Federico y yo", dice Juan, y la madre le dice que vaya a jugar hasta la comida. Encuentra a su hermana coloreando tranquila y termina molestándola hasta que su madre interviene.

"Juan", dice. "¿Qué es lo que te pasa? Sabes que estás molestando a Lina. ¿No te puedes entender siquiera con tu propia hermana? Quiero que te vayas a tu cuarto hasta que te llame a comer. Ya me tienes cansada".

La madre de Juan es una mujer buena y cariñosa, que no se enemista con sus amigas; la pequeña Lina se entiende bien con los niños; su padre no tiene dificultad para llevarse con la gente y, sin embargo, a Juan se le dificulta hacer y mantener amigos. ¿Cómo ha aprendido este tipo de conducta?

"¿Qué estamos haciendo mal?", preguntan sus padres. "¿Somos malos padres que no sabemos cómo educar a nuestro hijo? ¿No le hemos dado buen ejemplo?"

Los padres de Juan se están haciendo las preguntas equivocadas sobre sí mismos y sobre su hijo. Las preguntas que los padres deben hacerse son: ¿Qué veo cuando miro a mi hijo? ¿Sobre qué cosas hago comentarios? ¿Qué tipo de comportamiento estimulo en mi hijo? ¿Juan discutiendo con Federico, o Juan exclamando: "¡Gran tiro!"? ¿Sofía negándose a comer una vez más y haciendo una rabieta cuando se le dice que debe hacerlo, o comiendo callada, probablemente aceptando probar algo nuevo, a pesar de que no está segura de si le va a gustar? ¿Le presto más atención a un niño abatido que dice estar deprimido, o a un niño casi siempre alegre que está feliz?

¿Ve usted siempre — en una forma que realmente se fija en su mente — lo que se llama "mala" conducta (un comportamiento del tipo que causa conmoción en la familia y que siempre obtiene una respuesta de su parte), mientras que deja usted de ver el comportamiento bueno y positivo que cada niño muestra por lo menos ocasionalmente, pues es tan predecible, tan común y tan pasajero que se pasa por alto y se olvida con rapidez?

Si es así, eso es lo que usted está haciendo mal.

Pero no se alarme, es fácil de solucionar.

CÓMO OBTENER LO QUE USTED PIDE

Volvamos por un momento al caso de Federico, Juan y su madre.

El problema de conducta de Juan con su amigo obtuvo mucha atención. No sólo Federico se marchó, sino que la madre de Juan empleó una buena cantidad de su tiempo hablando con su hijo al respecto. Los quince o veinte minutos que utilizaron discutiendo lo que hacía que Juan se comportara de esa forma, fueron quince o veinte minutos de atención plena por parte de su madre.

Por otro lado, el juego de béisbol que transcurrió pacíficamente pasó sin ningún comentario. La madre de Juan no hizo nada fuera de reconocer que tuvo lugar. Para todos los efectos prácticos, no "vio" lo que pasaba, a pesar de que estaba mirando.

El mensaje para Juan es claro: el comportamiento negativo significa atención, todo ese tiempo y diálogo, una respuesta. Mientras que no hay recompensa por portarse bien, por hacer las cosas que dan como resultado ser amigable. Entonces más le vale molestar a su hermana, pues con seguridad obtendrá atención.

Este escenario sencillo y doméstico es muy frecuente. Uno nota el comportamiento perturbador y quiere ponerle fin, ya sea cuando sucede o atacando la causa para que no pase de nuevo. Los padres recurren a una variedad de métodos para hacerlo. La respuesta inmediata son gritos, furia, reprimendas y algún tipo de castigo, si la situación es lo suficientemente seria. Con

frecuencia esto incluye una discusión con el niño sobre el comportamiento, en un esfuerzo por llegar a los
problemas que hay detrás. Y luego los padres se preguntan por qué nada parece funcionar, en especial
cuando el niño hace exactamente lo mismo al día siguiente. El resultado son niños infelices y padres infelices.

Todos estos métodos para manejar los problemas de
conducta implican dirigir al niño tiempo y atención
exclusivos. Y a los niños les encanta la atención, sobre
todo cuando viene de las personas más importantes de
su vida, sus padres. Ellos no se preocupan necesariamente por la naturaleza del comportamiento que atrae
esa atención.

Lo que trato de enseñarles a los padres es que es
casi tan fácil estimular la conducta positiva como la
negativa, y que pueden lograr el comportamiento que
piden cuando saben cómo hacerlo. La atención y el
estímulo también pueden ser la respuesta al "buen
comportamiento" (valorado) — madurez, ser un buen
amigo, ser responsable, generoso, honesto y considerado —, si usted aprende a verlo cuando sucede y si
sabe cómo utilizar el poder de elogio que tiene como
padre. Si usted hace que los comportamientos valo-
rados sean buenos para el niño, él los va a repetir.
Cuando lo elogia, estimula sus sentimientos de amor

propio y el niño empieza a sentir que es una persona valiosa.

Un niño que tiene sentimientos de autoestima, que se quiere a sí mismo, es un niño feliz.

Capítulo tres

LAS BRUJAS DEL ID

Existe la antigua y falsa idea popular de que el comportamiento humano sigue las mismas reglas que rigen la salud física. Este llamado "modelo médico" de la conducta sugiere que cuando las cosas no marchan es porque algo malo, como un microbio o un virus, ha atacado al paciente y que cuanto más rápido sepamos qué es y lo expongamos a la luz de un examen cuidadoso, más pronto volverá el paciente a tener la buena salud que hace parte natural de nuestro derecho de nacimiento. Incluso los psicólogos se refieren a los problemas de comportamiento como "síntomas", y consideran que la percepción o la comprensión son la cura mágica.

Esto me recuerda el cuento de hadas en donde una muchacha hermosa es liberada de los poderes de su captor cuando descubre su nombre y lo llama Rumpelstiltskin.

Un problema de conducta no es una "cosa". El mal comportamiento no es la manifestación superficial de un demonio escondido dentro del niño que puede ser exorcizado con palabras, no es un virus que puede eliminarse con una droga milagrosa, y muy rara vez es el síntoma de un desorden psicológico que tiene su origen en un evento o relación desafortunados en la vida previa del niño. La conducta, ya sea positiva o negativa, es sencillamente el resultado de las reacciones que acompañan una forma específica de actuar.

La creencia de que hay algo en nuestra mente que controla la forma en que actuamos ha existido desde hace mucho tiempo y tiene diferentes formas.

En 1692, los ciudadanos de Salem, Massachusetts, entablaron cargos de brujería en contra de varias mujeres, niños y hombres de la ciudad. Muchos fueron torturados y algunos hasta ejecutados para salvarlos de los demonios que los poseían y ponían en peligro las almas de los temerosos de Dios. Las personas "normales" de la ciudad identificaron a las llamadas brujas por su comportamiento.

Elisabeth Parris, de nueve años, sufría ataques y se

le vio arrojar una Biblia de un extremo al otro del cuarto.

Abigail Williams, su prima de once años, trató de subirse por la chimenea y arrojó teas encendidas por la casa.

Otras niñas de Salem comenzaron a tener ataques y convulsiones.

Era claro que el diablo, a través de los oficios de una esclava de las Antillas considerada bruja, controlaba a las niñas y pronto lo haría con cientos de personas de Salem, convirtiéndolas en demonios. La solución fue destruir los demonios; infortunadamente, este proceso también destruyó a algunos seres humanos.

A pesar de que el frenesí de la cacería de brujas se acabó en Salem, la creencia en esos demonios ha sobrevivido con diferentes términos y bajo nuevas formas. Hoy en día los demonios son los problemas emocionales, y a pesar de que ahora no quemamos al afectado, sí nos apoyamos en formas igualmente ineficaces e improductivas (algunas veces hasta destructivas) para remover los demonios. Sin embargo, así como nadie en Salem comprobó jamás la existencia del diablo salvo mediante el comportamiento de las brujas y los poseídos, los demonios de hoy en día también son escurridizos, excepto por el comportamiento que parece indicar que acechan en alguna parte de la mente. Nuestra forma de exorcismo es hablar sobre el problema, con la creencia de que al identificarlo y comprenderlo, se acabará. Este procedimiento es tan dudoso como el de quemar brujas.

De manera similar, la dificultad con el modelo médico es que busca las raíces de problemas que no son nada más que formas erradas de comportamientos aprendidos. En la inmensa mayoría de los casos, el comportamiento de un niño es aprendido, no está escrito en los genes ni es dictado por el demonio. Hay un elemento de magia en la noción de que encontrar al dragón en la psiquis de un niño y darle un nombre le hará perder su poder y el problema desaparecerá. Algunos terapeutas ponen a los niños a amasar plastilina, a hacer burbujas, a pintar dibujos y exploran el "inconsciente" con otros medios variados, todo con la esperanza de iluminar los escurridizos problemas emocionales, que no son más que el resultado de haber aprendido conductas equivocadas.

Buscar problemas emocionales fantasmas en vez de rectificar esas lecciones cuesta dinero y desperdicia tiempo. La recompensa real consiste en el cambio de sentimientos y de comportamientos; comprenderlos únicamente es un premio de consolación.

LOS NUEVOS EXORCISTAS

"Nuestro hijo estuvo años en tratamiento —me dicen algunas veces los padres— y nunca supe lo que pasaba. Vimos pocos cambios durante todo ese tiempo". Hay maneras de ayudar a que un niño aprenda conductas positivas, y algunas de las más efectivas están descritas en este libro. Pero los mitos que prevalecen sobre la crianza de los niños y sobre el comportamiento humano en general, con frecuencia van en otra dirección. Crean más problemas que soluciones, y algunas veces remiten a los padres a fuentes ineficaces de ayuda, con la vana esperanza de modificar el comportamiento y los sentimientos de sus hijos. Una y otra vez encuentro padres que han tenido a sus hijos en psicoterapia durante dos o tres años, sin lograr ningún progreso o con muy poca mejoría. En algunos casos, en vez de mejorar el comportamiento empeora.

Al comienzo de la psicoterapia, con frecuencia los terapeutas hacen énfasis en que el proceso tomará un tiempo largo. A menudo, el comportamiento inadecuado lleva años, explican, y tomará años comprenderlo y cambiarlo. Se les dice a los padres que otra razón común para que la terapia pueda tomar largo tiempo es que los "problemas emocionales" del niño son muy serios. Es esencial plantear la expectativa de que la terapia toma mucho tiempo, debido a que los cambios se dan con lentitud, si es que se dan. Y las visitas semanales de los padres y el niño pueden durar años.

Cuando los padres preguntan qué está sucediendo detrás de la puerta del consultorio del terapeuta, se les dice poco, apenas lo suficiente para satisfacerlos. Se les dice que se deben utilizar métodos indirectos pues el niño, con frecuencia, se muestra reticente a hablar sobre sus problemas. Es verdad que son escasos los niños lo suficientemente verbales y que están dispuestos a discutir sus más íntimos pensamientos y sentimientos con un terapeuta.

Para penetrar la resistencia del niño a hablar (causada con frecuencia por la falta de conciencia de que hay un problema que debe ser descubierto), el terapeuta afirma que está conociendo los problemas del niño en formas más sutiles: juegos, dibujos, actividades lúdicas. Y a los padres les dice que no son juegos sino métodos que le permiten al terapeuta capacitado buscar dentro de lo más profundo de la mente del niño y ayudarlo a lograr una percepción de los problemas subyacentes.

Discutir los sentimientos y hablar sobre los problemas no parecen ser métodos que ayuden a un niño a aprender conductas positivas y valiosas, aunque las conversaciones sean entre hijo y padres. Si la persona participante en tales discusiones es un terapeuta a quien el niño conoce únicamente en sus visitas semanales, ni siquiera existe el vínculo del cariño entre ellos, y las discusiones son incluso menos efectivas.

Un principio básico, tanto de la psicoterapia infantil como de la de adultos, es que las personas en tratamiento se resisten al cambio debido a que, a nivel inconsciente, quieren mantener el *status quo*. En realidad, es un concepto conveniente. Cuando estudié teoría psicoanalítica hace años, un analista pasó un tiempo considerable hablándonos sobre el número de pacientes que "reprobaban" su terapia. Según su visión, tales pacientes necesitaban aferrarse a los síntomas de su enfermedad, y su resistencia a la terapia era más poderosa que cualquier método de tratamiento que el analista tuviera a su disposición. Me impresionó que el sistema estuviera planteado de manera que el crédito del éxito iba sólo en una dirección y la culpa sólo en la otra.

Los juegos y otras actividades utilizados por el terapeuta infantil tienen el propósito de vencer la resistencia al cambio. De hecho, cualquier cosa que el niño hace o dice en el tratamiento es aprovechable en gran medida, porque sirve de material para hablar durante dos, tres o cinco años. Todo tiene "significado" y puede relacionarse con el niño como persona y de alguna manera está relacionado con su problema emocional. Los dibujos que el niño hace son analizados en busca de significados escondidos, y los juegos se miran desde esta misma perspectiva para develar los secretos de la personalidad del niño. Se supone que las pruebas proyectivas, de cuestionable valor, sugieren lo que está sucediendo en la mente del niño.

En la psicoterapia infantil se repiten los mismos mitos que existen en la casa sobre el manejo de los problemas y el comportamiento de los niños.

"Hablemos de ello..."

"Cuéntame que te molesta".

"¿Cómo te sientes sobre eso?"

Si bien no existen investigaciones que indiquen que la terapia de juego es efectiva, sí hay un buen argumento a favor de los métodos que verdaderamente le ayudan al niño a establecer comportamientos que queremos ver o que le ayudan a mejorar un problema de conducta en un tiempo comparativamente corto.

En vez de volver una y otra vez sobre los malos sentimientos y los malos comportamientos, cuánto más razonable y productivo sería centrarse en los buenos comportamientos, sin importar ni su brevedad, ni qué tan predecibles sean, ni con cuánta frecuencia ocurran. Esta filosofía de educar a los hijos, de ayudarles a resolver dificultades de comportamiento, trata a los niños como individuos únicos, y responde a los valores de sus padres y de su medio ambiente, en vez de buscar "demonios" sobre los que no tenemos control.

EL COMPORTAMIENTO COMO APRENDIZAJE REFORZADO

Al examinar la conducta, nuestros conceptos usuales de causa y efecto deben verse desde un ángulo nuevo. El comportamiento se da casi completamente en función de las reacciones — usualmente atención o falta de ella — que el niño sabe que vendrán inmediatamente después de un tipo de acción determinado. Por ejemplo, si una chupeta se utiliza para acabar con una rabieta, con base en esa experiencia de aprendizaje el niño tiene todas las razones para esperar una recompensa similar la próxima vez; una suposición que asegura que la rabieta se repetirá. El elogio por un comportamiento tranquilo funciona de la misma manera, sólo que el efecto se nota menos que una rabieta. La conducta tranquila también ocurrirá otra vez — no en media hora o en un día o dos, sino eventualmente — si existe la expectativa de la recompensa del elogio.

La concepción del comportamiento como aprendizaje reforzado es bastante distinta de la forma en que se concibe comúnmente, incluso por personas que aceptan el concepto de causa y efecto. No se gana nada con el tipo de noción que le echa la culpa de los problemas de conducta a situaciones sobre las que se tiene poco control: una relación infeliz entre padre y madre; que la madre deba trabajar fuera del hogar; que un niño requiera más atención que otro, o que exista algún tipo de "desorden emocional" o "incapacidad emocional". Indudablemente, la manera de relacionarse entre sí de los miembros de una familia desempeña un papel en la conducta de un niño, pero no debido a que las relaciones implanten de alguna manera al "demonio". Más bien, el comportamiento es el resultado de la forma en que tales respuestas son recompensadas o desestimuladas.

Al niño que aprende a manipular a los padres con conductas antagónicas y a obtener atención con afirmaciones que producen culpa, tales como "ustedes no me quieren", no lo están manejando ni los demonios ni la desesperanza. Cuando este tipo de afirmaciones son habituales, son señal de que el niño está buscando — y aparentemente encontrando — una respuesta que le ofrece una recompensa: máxima atención de los padres que tratan de defenderse de los falsos cargos.

No siempre es fácil resistirse a la carnada, pero en materia de reacciones a la conducta, los padres no pueden permitir que el niño los controle por medio de la culpa. Aunque debemos tranquilizar a los niños en los momentos ocasionales en que se sienten rechazados, los padres deben responder al uso habitual del comportamiento que busca llamar la atención con un mínimo de atención y tiempo. Esto significa que no debe haber discusiones largas para averiguar por qué el niño actuó mal, sino un mensaje claro de desaprobación de la conducta.

A propósito, tampoco es lógico atribuirle el buen comportamiento al puro azar (mientras que los demonios con frecuencia obtienen el crédito por la mala conducta, nadie dice que los ángeles son responsables del buen comportamiento). Si su hijo se comporta bien, esto se debe a que, consciente o inconscientemente, usted le ha dado una respuesta positiva — cariño, afecto, atención — al comportamiento positivo.

Cuando un niño llega a ser un virtuoso del piano, deseoso de practicar y de lograr lo mejor, esto no es simplemente un asunto de suerte. En alguna parte del proceso, la madre o el padre le dieron el estímulo adecuado en el momento correcto: reacciones positivas e inmediatas por el buen comportamiento de tocar el piano. Esto se asemeja a las reacciones inmediatas ante comportamientos especiales, las cuales son tan familiares que escasamente las consideramos similares: la sonrisa y el elogio por la primera palabra, el primer paso, la primera vez de cada una de las cosas que el bebé aprende a medida que crece. Cuantas más respuestas positivas reciba un infante, mayores serán las probabilidades de que estos comportamientos se repitan.

Durante los primeros años, la conducta de su hijo está en gran medida en sus manos. No necesita buscar las causas del comportamiento más allá del tipo de respuesta que usted le da al niño y de lo que decide estimular. Usted está en capacidad de enseñarle a su hijo conductas y sentimientos que reflejen sus valores, y los valores que quiere que tenga toda la vida.

EL DEMONIO DE CAROLINA

Carolina era hija única y tenía muchos problemas de conducta. Habría tenido dificultades en el Salem de hoy y mucho más hace trescientos años. Sin embargo, su caso es instructivo porque muestra dramáticamente cómo se relacionan entre sí los diferentes comportamientos y sus consecuencias. También muestra cómo los padres pueden enfrentar las situaciones más difíciles y, a través de un proceso paulatino, producir cambios en busca de una mejor situación.

Cuando la madre de Carolina buscó mi ayuda profesional, ya había acudido a varios terapeutas que no le habían brindado mucha ayuda concreta en términos de cambiar el comportamiento de la niña. La lista de sus problemas era larga.

Carolina rechazaba tan decididamente a cada niño que buscaba su amistad, que ya no tenía a nadie con quién jugar. Era desobediente con sus padres y discutía sólo por llevar la contraria. Era conflictiva y persistía en imponer su voluntad. Mentía cuando le convenía y lo que más les dolía a sus padres era que decía con frecuencia que no la querían.

La madre de Carolina estaba muy preocupada tanto por el comportamiento de su hija como por sus propios sentimientos hacia la niña.

"Uno no puede dejar de notarla, es inevitable, y probablemente ella no lo molesta al comienzo", decía su madre, "pero luego ella insiste e insiste en ser irritante, y después de un rato uno ya está a punto de matarla".

Obviamente, la forma más común de mirar las dificultades de conducta de Carolina sería suponer que tenía un problema emocional, que un demonio había poseído la mente de esta niña de siete años y controlaba lo que hacía.

"Pensé que podía encontrar la causa de todo este problema", decía su madre. "He tratado de hablar con ella con calma y sensatez para explicarle por qué no debe actuar de esta manera, y ver si me puede decir por qué lo hace. Pero no he logrado nada".

La madre expresaba lo que pensaba del comportamiento de su hija en términos subjetivos, usando palabras abstractas que interpretaban la conducta más que definirla de manera concreta: solitaria, triste, desafiante, irritante, deshonesta.

La primera pregunta que un padre debe responder al tratar con comportamientos es: "¿Con exactitud, qué clase de conducta representan todas esas palabras?" Por ejemplo, ¿qué es lo que hace específicamente Carolina para alejar a los otros niños? ¿Qué hace que usted como padre la encuentre antipática e irritante?

"¿Amigos?", empezó su madre. "Bueno, no tiene muchos, pero cuando hay otros niños por ahí cambia las reglas del juego a su acomodo. La he visto hacerlo muchas veces. Es mandona, les dice a los otros lo que deben hacer, lo que deben jugar. Discute con ellos y su reacción a cualquier cosa que no le gusta es enfurecerse".

La mamá de Carolina especificó la manera de comportarse de su hija: "Habla constantemente, dice todo lo que se le ocurre; si yo digo blanco, ella dice negro; insiste hasta que me canso y generalmente me doy por vencida y la dejo hacer lo que quiere".

La madre buscaba las razones del comportamiento de su hija y, en el proceso, era dura consigo misma. Era necesario destapar y entender lo que sucedía en la cabeza de Carolina, qué la hacía ser una niña tan difícil y evidentemente infeliz.

"He fracasado en mi propósito de entender a Carolina", dijo. "Su comportamiento tiene que significar algo que no puedo ver, alguien tiene que ayudarme a averiguar qué es lo que la molesta, cuál es el problema psicológico y su causa".

El fracaso en entender el problema radicaba no en una incapacidad de entender lo que sucedía en la mente de Carolina, sino en la incapacidad de entender lo que realmente causaba el comportamiento: el tipo de respuesta de su madre. Cuando la madre comenzó a expresar la naturaleza de la conducta de Carolina en términos concretos, empezó a tener claridad sobre lo que quería de su hija: exactamente lo contrario de su comportamiento actual. Quería que no fuera mandona, que no contradijera repetidamente, que no dijera mentiras. En términos positivos, quería que fuera amigable, agradable, sincera.

¿Cómo se le puede enseñar a Carolina a dejar de

portarse de una forma y cómo se la puede estimular
para que se porte de una manera que genere resultados positivos, que haga que la gente quiera estar con
ella, y que la haga sentirse feliz?

Una clave importante de los problemas de conducta
de Carolina parecía estar en su relación con otros niños. Sin importar qué tan mal se portara, estaba segura de obtener la atención de sus padres. Si pudiera
aprender a hacer y mantener amistad con niños de su
edad, obtendría de ellos la atención positiva que ahora
lograba de sus padres cuando se portaba mal. Con
seguridad, un resultado de ese tipo sería una fuente de
satisfacción que la impulsaría a mejorar su conducta
general.

Supe por la madre de Carolina que ella y su esposo
invertían mucha energía, atención y tiempo en estimular el comportamiento inapropiado. Reprendían a
su hija por perder amigos, le hablaban sobre su actitud
como si el analizar lo obvio cambiara algo, discutían
con ella — o dejaban que ella discutiera con ellos —
de manera interminable. Carolina lograba toda la atención que un niño puede desear. Carecer de incentivos
para distinguir entre la atención por el buen y el mal
comportamiento no era culpa suya.

Para ahuyentar los demonios de Carolina, sus padres tenían que proporcionarle esos incentivos; debían

encontrar formas de estimular únicamente la conducta positiva. Mi labor como psicólogo era mostrarles la forma de enseñarle a Carolina nuevos comportamientos. Si había aprendido a portarse mal debido a que se le ponía atención cuando lo hacía, podía aprender a portarse bien por la misma razón. El proceso es el mismo si usted es un padre que enfrenta un solo problema de comportamiento (generalmente ése es el caso), o si sencillamente está tratando de educar a sus hijos de una manera positiva. El principio que dice que el comportamiento es el resultado de la respuesta que genera, es válido tanto para comportamientos terribles como para comportamientos maravillosos.

En el caso de Carolina, su madre se centró en ayudarla para que fuera mejor amiga, lo contrario del comportamiento que le causaba tanto problema. Su mamá tuvo que mirarla con nuevos ojos, y fijarse en los momentos ocasionales y fugaces en que la conducta de su hija pudiera atraer a otros niños. Todos los niños tienen este tipo de momentos, y el desafío para el padre es comenzar a verlos y utilizarlos.

Durante una a dos semanas la madre de Carolina hizo una lista de ejemplos de comportamiento amistoso. Estaba tan acostumbrada a ver únicamente las cosas que le molestaban de su hija, que tuvo que hacer un gran esfuerzo para ver y recordar los comportamientos positivos a medida que ocurrían. Después de una semana, había escrito un puñado de ocasiones positivas, algunas muy breves, de conductas propicias para ganar amistades. La prima de Carolina — que no era una amiga habitual, pero tenía más o menos la misma edad — vino de visita, y Carolina la dejó jugar de primera mientras los adultos hablaban.

A pesar de que el otro primo de Carolina, un bebé, era probablemente demasiado pequeño para comprender lo que le decían, Carolina le dijo que estaba aprendiendo a caminar muy bien. También le recogió un juguete que se le había caído.

Una niñita vecina pasó a disfrazarse con ropas viejas, y Carolina la dejó ponerse un gran sombrero que ella generalmente se pedía.

El siguiente paso fue volver importantes aquellos destellos de comportamiento positivo. Esto se logra con tiempo, atención y elogios. Más o menos una media hora después de que la vecinita se había ido a su casa, la madre de Carolina le habló sobre el incidente, reviviéndolo lo más vívidamente posible.

"Cuando Lucía vino esta tarde y estaban jugando a disfrazarse, la dejaste ponerse el sombrero blanco grande que tanto te gusta. Eso fue muy amable de tu parte. Me alegra que compartas con Lucía. A las personas les gusta eso de un amigo".

Inmediatamente después, y de manera casual, la madre de Carolina reforzó el elogio haciendo durante diez minutos algo que a la niña le encantaba: "Juguemos un partido de damas chinas". De repente, ser amable con Lucía le había generado a Carolina la misma atención que ser odiosa. Se había logrado que la conducta positiva produjera algo bueno.

El cambio de conducta se produce cuando este proceso se repite una y otra vez: una descripción vívida una hora o más después del evento, recreando lo que el niño hizo, quién estaba allí, lo que sucedió, lo que se dijo; elogios de la mamá por el comportamiento; algunos minutos empleados en hacer algo que el niño disfruta.

La conducta amistosa con otro niño le había atraído a Carolina la atención y los elogios de su mamá. Por eso valía la pena repetir ese comportamiento amistoso. (La utilización del elogio para estimular el comportamiento positivo se explorará con más detalle en un capítulo posterior.)

La conducta de Carolina comenzó a mejorar en muchas áreas con los esfuerzos de sus padres por enseñarle nuevas maneras de comportarse. Era claro que los "problemas emocionales" no eran la fuente de sus dificultades. Ningún demonio imaginario controlaba su conducta. El hecho de que comenzara a hacer amigos no tenía nada que ver con hablar con ella sobre lo que le molestaba, sino más bien con su nuevo comportamiento hacia los otros niños. Y el que dejara gradualmente de seguir a su mamá por todas partes con un torrente constante de parloteo sin significado, contradiciéndola o haciéndole preguntas sin razón, no podía ser considerado como un indicio de haber descubierto resentimientos o inseguridades profundas, sino como el hecho mucho más sencillo de que la mamá de Carolina había logrado que ya no fuera provechoso continuar haciéndolo. En vez de dar una respuesta angustiada a una afirmación como "tú no me quieres", su madre decidía no picar el anzuelo y descartaba el comentario diciendo: "Carolina, tú sabes que te quiero". Esta actitud envía un mensaje claro: este tipo de comportamiento negativo para atraer la atención no es apropiado y ya no funciona.

Los padres requieren determinación para no caer en la tentación de explicar, discutir o analizar cuando el niño toca áreas sensibles. Buscamos ser justos con el niño y con nosotros mismos, pero no es necesario oír el lado del niño y justificar la posición de sus padres, ya que esto es lo que le enseña al niño que interrumpir, hablar constantemente y alegar que su madre no lo quiere es algo que sí funciona.

"Pasé bastante tiempo tratando de comprender algo

que ni siquiera existía", dijo la mamá de Carolina después de aprender a estimular las conductas adecuadas
y a desalentar las inadecuadas. "No era un 'problema'
del tipo que imaginé. No había ninguna dolencia que
requiriera una cura milagrosa".

El problema no era una enfermedad sino un comportamiento específico y existía debido a la forma en
que los padres de Carolina siempre habían respondido
a él. Cuando aprendieron a responder a otro tipo de
conductas, menos notorias pero más adecuadas; cuando miraron a Carolina con nuevos ojos, comprendieron la esencia de su comportamiento: era algo que
ellos, con las mejores intenciones, le estaban enseñando a su hija, algo que estaban estimulando.

Cuando aplicaron esta perspectiva, los demonios
desaparecieron.

Capítulo cuatro

LOS PADRES COMPRENSIVOS Y OTROS MITOS

Cuando un niño sangra, el primer objetivo de cualquier intervención racional es detener el sangrado. Nadie dice, "hablemos de ello", y sólo un sádico sugeriría abrir más la herida. Pero a muchos miembros de mi profesión se les ha enseñado a alimentar las conductas infantiles problemáticas, como las dificultades emocionales o el trastorno de atención, y, a su vez, ellos les enseñan a los padres a hacer lo mismo.

Por ejemplo, les enseñan a los padres a sentarse con un niño que los acaba de insultar a preguntarle: "¿Qué es lo que te molesta?" "¿Estás molesto porque papá fue insensible o mamá fue demasiado exigente?" Cuando los padres invierten veinte o treinta minutos titubeando en busca de la causa, mientras que el insulto en sí mismo pasa inadvertido, no deben sorprenderse de que la falta se repita. Los padres que desean estimular un comportamiento adecuado en un niño deben demostrar un comportamiento adecuado ellos mismos; y es inadecuado estimular un comportamiento equivocado, dándole al niño atención inmerecida.

Una pareja me consultó acerca de su hija de seis años debido a que estaba, según dijeron, deprimida. Me contaron que la niñita tenía muchos amigos, que los adultos la querían y que le iba muy bien en el colegio. Pregunté que cómo podía estar deprimida; no tenía sentido. La depresión es la ausencia de satisfacción en la vida, el resultado de que todo sale mal y se deshace. Pero luego averigüé que ambos padres habían asistido a psicoterapia y la niña sabía que cada vez que decía que estaba triste o era infeliz, ellos se sentaban con ella veinte minutos tratando de buscar la fuente del problema. Ni siquiera tenía que concretar o dar una razón, había encontrado las palabras mágicas que disparaban inmediatamente la atención: "Me siento infeliz". Estaba manipulando a sus padres con palabras vacías y ellos le recompensaban el comportamiento con respuestas igualmente vacías.

"Hablemos de ello".

"Quiero saber cómo te sientes".

"Cuéntame qué te está molestando".

"Estoy tratando de entender".

Es discutible si un adulto puede entender realmente lo que sucede en la cabeza de un niño de seis años, o de siete, o de doce, o en la de un adolescente. Es incluso discutible si vale la pena hacer el esfuerzo. Sin embargo, en la actualidad a los padres se les impulsa a tratar de "comprender" a sus hijos, a buscar significados escondidos en sus palabras, a averiguar lo que les molesta, a descubrir lo que piensan, lo que sienten por sus padres, la razón de sus actos, lo que los hace sentirse tristes o felices, o ser insolentes. La teoría dice que al establecer un diálogo con nuestros hijos, nos estamos acercando a las causas del comportamiento, a los demonios que mencionamos antes.

LOS NIÑOS NECESITAN MÁS QUE DIÁLOGO

Sería bueno para todos si un intercambio de palabras implicara la comprensión real de la conducta. Sería gratificante si un padre comprensivo fuera todo lo que un niño necesita para ser feliz y bien educado. Infortunadamente, la actual elevación de la compren-

sión al pináculo de una paternidad perfecta es un mito,
engendrado por la idea prevaleciente en los círculos
psicoanalíticos de que hablar sobre un problema lo
soluciona. Esta idea ha llevado a personas con problemas a miles de divanes de analistas para tener charlas
improductivas de varios años. Esta creencia está tan
difundida que los padres suponen que funciona con
los niños, ya sea para un problema de comportamiento continuo o para un suceso aislado.

Al hacer una pregunta tan simple como: "Susana,
¿por qué arrancaste todos los tulipanes de la señora
Pérez? ¿No sabías que estaba mal?", es probable que
un niño normal responda mascullando "No sé", seguido por "simplemente se me ocurrió".

Al tratar de comprender y de ayudarle a Susana a
hacerlo, una madre bien intencionada con frecuencia
elaborará el asunto. Puede que interprete el hecho de
que Susana haya tomado algo que no le pertenece
como signo de deshonestidad o de inseguridad. Y si no
logra aclarar plenamente los procesos mentales que
llevaron a Susana al jardín de la señora Pérez, razona
la madre, esto volverá a suceder y la niña empezará a
quitarles cosas a los demás. No importa que el "no sé"
sea la simple verdad. Y no importa que un momento
después de que Susana lo haya pensado en la medida
en que un niño es razonablemente capaz, el "simple-

mente se me ocurrió" sea también la verdad. La actitud más común es hablar sobre el tema una y otra vez hasta llegar al fondo del misterio del carácter de un niño.

Y en realidad sí puede volver a pasar, pero no a pesar del intento de la madre para que las dos comprendan, sino precisamente a causa de éste. Ninguna de las dos logrará nuevas percepciones sobre el incidente hablando sobre él, pero Susana va a aprender algo más sobre la relación con su madre durante tal conversación. El proceso le enseñará que podrá obtener toda la atención que desea si toma sin permiso algo del jardín del vecino. Obviamente, ni este único incidente ni la respuesta de su madre llevarán a Susana hacia el camino del mal comportamiento habitual. Pero si la respuesta es constante, es bien probable que acabe aumentando la frecuencia del comportamiento que inconscientemente está estimulando.

ASÍ SE RECOMPENSA LA NEGATIVA A COMER

La comprensión no soluciona situaciones tan sencillas como el ataque de Susana a los tulipanes de la señora Pérez. Y tampoco ayuda en situaciones que provocan ansiedad, como las constantes batallas a la hora de comer, en las que los niños hacen caso omiso del llamado a la mesa, se niegan a comer o exigen cierta clase de comida.

A menos que el niño esté físicamente enfermo, no hay razón para que el padre trate de entender, y excusar tácitamente, la negativa a comer. Pero debido a que la necesidad de satisfacer el hambre es esencial, muchos adultos ven la terquedad a la hora de comer como un problema que deben comprender; están convencidos de que la salud del niño, y probablemente su vida, dependen de ello. Como resultado, fomentan por error el comportamiento específico que están tratando de desestimular.

"Las horas de comida son terribles", dicen los padres de Andrés. "Simplemente no come, alega que no le gusta lo que le sirven y luego saca pasabocas a hurtadillas entre las comidas o antes de acostarse. Lo hemos ensayado todo". Luego me hicieron un listado de las formas en que alentaban a Andrés a no comer: "...dándole las cosas que pide — y que luego no se come — tratando de convencerlo, prometiéndole obsequios si termina la comida".

¿Cuál es el misterio? Casi todo lo que un niño hace desde el primer llanto significa "ponme atención". ¿Existe alguna razón por la cual esa verdad de la vida sea aplicable a todo menos a la comida? Fíjese lo bien que funciona.

El padre de Andrés inventó con rapidez un escenario diferente para explicar este comportamiento. Dijo que creía que Andrés trataba de castigar a su mamá por alguna razón, al no comerse lo que ella preparaba. "Su cara parece estar diciendo que se está desquitando con nosotros por algo. No tenemos ni idea qué hemos hecho para que se sienta así. Hemos tratado de hablar con él al respecto para tratar de entenderlo".

Andrés, de siete años, no está a punto de ayudar a sus padres a comprender. No hay nada que entender, salvo que ha aprendido a comportarse así en las comidas (y no se está muriendo de hambre pues tiene sus pasabocas). Y lo que ha aprendido — muy seguramente gracias al estímulo involuntario de sus padres: un padre al que le parece importante "dejar limpio el plato", y una madre que equipara la felicidad con disfrutar la comida — es que si no come, obtendrá mucha atención de todos en la mesa. Esto es lo único que los padres de Andrés deben entender. El niño no está tratando de castigar a su mamá, está tratando de acercarla buscando toda su atención al no comer. No es necesario mirar más allá de la conducta misma y de las reacciones para entender lo que pasa y la manera de cambiarlo.

El "problema" de Andrés no se solucionó a través de la comprensión de lo que pasaba o dejaba de pasar en su mente, sino dándole nuevas respuestas a su conducta y alimentando nuevas formas de comportarse.

Primero, según lo que acordamos con sus padres, a Andrés sólo se le permitió comer en las comidas, sin darle pasabocas entre comidas o antes de acostarse. Se le puso a escoger entre quedarse con hambre (poco probable) o comer con el resto de la familia.

Se suspendieron los menús especiales. Estaban en una casa, no en un restaurante, y las comidas se preparaban de acuerdo con las preferencias de su madre y de su padre.

Cuando se negó a comer ("no me gusta el pollo", dijo el primer día, a pesar de que casi siempre pedía que se lo prepararan especialmente), nadie dijo nada excepto su madre: "Ésa es la comida de esta noche". Nadie le suplicó que comiera, ni siquiera se lo pidieron. La conversación siguió a su alrededor y no tuvo nada que ver con que comiera o dejara de hacerlo.

El primer día, después de treinta minutos, su madre empacó lo que Andrés no se comió y lo guardó en el refrigerador.

"Voy a guardar la comida —dijo—. Si la quieres me la puedes pedir".

La primera noche Andrés pasó hambre. Y fue un rato en el que no se le prestó atención.

La segunda noche fue una repetición de la primera,

excepto que el niño pidió su comida poco después de la cena. Su madre se la dio fría, sin la recompensa de calentarla o cualquier otro tratamiento especial.

Andrés no fue el único que comenzó a cambiar. Cuando recibió el mensaje y comenzó a comer durante las comidas, sus padres estaban más dispuestos a aceptar la noción de que, en principio, no había nada que entender. Luego de un par de días, los dramas familiares durante las comidas se acabaron. Les dije a los padres que no era necesario llamarlo y felicitarlo por su comportamiento en la mesa, pues comer es una recompensa en sí misma y no necesita alentarse.

HACIA LAS BUENAS MANERAS EN LA MESA

No todos los problemas con la comida se acaban tan fácil ni tan rápido como el de Andrés.

Cuando los padres de Pablo, de cinco años, se quejaron de que se embutía la comida o que se la tragaba tan rápido que les daba miedo que se atorara, les advertí que hicieran un gran esfuerzo para no darle un sermón sobre las virtudes de las buenas maneras al comer. No le digan que no se llene la boca o que coma más despacio.

Si un padre siente que esos comportamientos requieren algún tipo de comentario, debe guiarse por las mismas reglas que se aplican a cualquier otra forma de crítica: que sea breve y poco frecuente. El único propósito legítimo de tal comentario es corregir el mal comportamiento, no aliviar la ansiedad del padre y, ciertamente, tampoco prolongar una tradición familiar negativa. Diga algo como: "No, Pablo", con una expresión seria. *Pero, de nuevo, si es posible no diga nada.*

Les dije que si un poco de comida se le caía a Pablo del plato, no debería ser la ocasión de reprenderlo ni de hacerle ningún otro tipo de comentario. Uno no puede esperar de un niño de cinco años un comportamiento perfecto en la mesa. Decirle en repetidas ocasiones lo que hizo mal en la mesa no mejorará sus modales. Sólo asociará la comida con algo desagradable.

Si Pablo no se come todo, no se le debe forzar a terminar la comida, pero tampoco se le debe recompensar necesariamente con postre. Sus padres pueden envolver el plato y ponerlo en el refrigerador y no deben obligarlo a que vuelva a la mesa. En cualquier momento antes de acostarse, Pablo puede pedir la comida que no terminó, y se le debe permitir cogerla fría del refrigerador. Si Pablo termina su comida pero aún quiere algo más antes de acostarse, no hay nada malo en ofrecerle un pasaboca, un postre o un dulce.

Para estimular las buenas maneras al comer, les aconsejé a los padres que tomaran nota de las ocasiones en que Pablo hacía en la mesa cosas que a ellos les gustaría ver con más frecuencia: comer correctamente con su tenedor y cuchara, comer más despacio, pedir que se le pasara algún alimento, o incluso comer una pequeña cantidad de alguna comida que no le gustaba especialmente.

Les recomendé que le comentaran claramente lo que hacía en el momento en que sucedía. Comentarios tales como "estoy orgulloso de ti, no te estás atragantando de comida", no le indican con claridad que lo está haciendo bien, así como tampoco un elogio general como "estás comiendo muy bien". Díganle concretamente lo que está haciendo: "Estás comiendo más despacio", "Estás cortando muy bien la comida", "Estás usando la servilleta". Luego, *elógienlo*: "Eres tan adulto. Estoy complacido contigo".

Después de la comida, los padres deberían llevar a Pablo aparte y decirle concretamente lo que les agradó de su conducta durante la comida, escogiendo sus palabras para revivir el comportamiento elogiado. Inmediatamente después y de manera casual, deberían pasar algunos minutos con Pablo haciendo algo que a él le agrade.

DESAHOGARSE:
LOS PELIGROS DEL DESTAPE TOTAL

Un mito predilecto, junto con el del padre comprensivo, es la idea de que autoanalizarse y liberar todos los sentimientos es bueno para usted y para sus hijos. Es el equivalente moderno del exorcismo.

Oímos a menudo la frase "desahóguese" y "diga lo que siente y se librará de todos esos malos sentimientos". En el acto de ser comprensivos con los problemas de sus hijos, los padres estarán probablemente alentándolos a hablar sobre la razón de su furia o depresión, con la esperanza real de que se les pase la rabia o se sientan menos deprimidos.

Pero en realidad la cosa funciona exactamente al contrario. El niño que estimulamos a hablar sobre su rabia o depresión se sentirá más enfadado, más deprimido. Una buena prueba es recordar las veces en que usted se ha sentido molesto y se ha encontrado pensando y hablando sobre ello, contándolo a quien quiera escucharlo... y sintiéndose más y más molesto y obsesionado con cada relato. Con los niños funciona de la misma manera. Dejar salir el vapor es una cosa, no sugiero que la gente reprima la expresión de sus emociones — rabia real, tristeza real, felicidad real — ya sean padres o hijos. Por ejemplo, uno tiene derecho a enfadarse cuando un hijo se porta mal, y los niños también tienen sentimientos fuertes. Pero lo que no está bien es estimularlos a hablar sobre las razones que hay detrás de esos sentimientos, una y otra vez, porque uno cree que eso les va a ayudar a hacer desaparecer esos sentimientos.

Piense en lo siguiente: si es verdad que expresar la furia y la depresión, con libertad y sin ponerle ningún límite, hace que esos sentimientos desaparezcan, ¿no debería suceder lo mismo con el amor y el cariño? Sin embargo, no tenemos una cantidad finita de amor que una vez gastada se acaba. Cuanto más amor demos, más amor tendremos para dar, y más amor recibiremos. De la misma manera, cuanta más furia expresemos, más furiosos nos pondremos. Todas nuestras emociones están sujetas a la misma ley de la economía.

¿HA ABRAZADO A SU HIJO HOY?

Por otra parte, nunca le he recomendado a ningún padre que le dé más amor a su hijo como una solución de conducta. Nunca le he dicho a un padre que pase más tiempo con su hijo un domingo por la tarde, que lo lleve a un juego de fútbol o que establezca un vínculo con él mientras pesca. Nunca he mandado a una madre y a su hija a una exposición floral y nunca sugiero que el autoadhesivo para los autos que vemos en todas partes — "¿Ha abrazado a su hijo hoy?" — sea una receta para curar cualquier cosa. Ciertamente, no creo que ninguna de esas cosas haga daño, pero nunca sugeriría que el solo hecho de pasar más tiempo con un niño o el darle más amor vaya a resolver problemas de comportamiento. Sin embargo, la fórmula de "darle a tu hijo más amor" se presenta con demasiada frecuencia como una solución a muchos problemas de la niñez.

Hay un espectro completo de mitos similares, herencia de la misma escuela psicológica de autoadhesivos para automóviles:

- Un niño inquieto dejará de ser difícil si "se le da más amor".
- Un niño irresponsable, uno mentiroso, uno que tiene dificultades en el colegio, uno que no tiene amigos y una niña egoísta, empezarán a portarse mejor si se les abraza con más frecuencia.
- Lo único que un niño con problemas de comportamiento necesita es más tiempo con usted.

Todas estas palabras suenan bien, pero no tienen ningún significado real cuando se trata de enseñar comportamiento o de cambiarlo. Son mitos que sólo confunden.

El amor, los abrazos y el tiempo con un niño están bien, pero si quiere producir cambios en el comportamiento, si quiere fortalecer lazos de afecto entre usted y su hijo, debe saber *cuándo* dar amor y *cómo* hacerlo.

No haga una demostración de amor cuando un niño lo pida. Lo único que un niño aprende de esto es que un comportamiento que exige demostraciones de amor produce afirmaciones verbales de que es amado, lo que estimula la actitud de pedir amor.

El amor por su hijo no debe depender de *nada*. El tiempo que usted pasa con su hijo no debe ser un soborno para que éste se porte mejor. Las manifestaciones de amor deben ser la respuesta espontánea de los padres a un comportamiento amoroso de los hijos.

Sin embargo, si usted está tratando de solucionar problemas de conducta, puede utilizar ese tiempo y ese amor de manera constructiva. Un niño no le "reembolsará" su amor cambiando su comportamiento, sólo porque usted le ha asegurado su cariño. Pero aprenderá una nueva conducta si su cariño es consecuencia de un comportamiento positivo.

Una vez atendí a una madre que había llevado a sus hijos donde tres psicólogos diferentes y todos le habían dicho que los niños necesitaban más amor.

Que los niños necesiten amor no es un mito. El mito está en creer que da igual cuándo y cómo se dé el amor. Dar a un niño más amor o más tiempo no cambiará la conducta negativa. De hecho, si se le pone atención a un niño después de un comportamiento negativo, se estimula más de lo mismo. El amor funciona bien cuando fomenta conductas que construyen amor propio. Una demostración de amor después de comportamientos negativos dará como resultado muchas más conductas negativas.

Lo que los padres pueden creer que están haciendo en ese momento es dar amor incondicional, del tipo que dice "te quiero porque eres tú". Pero raras veces ése es el mensaje que el niño recibe. En cambio, el niño aprende que los padres se acercan debido al comportamiento negativo. En casos extremos, esta respuesta puede estimular tantas conductas negativas que el niño se vuelve antipático.

Alguna vez vi en la pared de una clínica de orientación infantil esta frase: "Los niños necesitan amor cuando menos lo merecen". Si usted sigue este principio, el resultado será más comportamiento "que no merece" una respuesta cariñosa. Muchos terapeutas y padres están seguros de interpretar ese lema como una licencia para enviarle un mensaje errado al niño que se porta mal. Darles a los niños recompensas positivas por comportamientos negativos es una consecuencia inadecuada y sólo conduce a más de lo mismo.

"El amor lo vence todo" es uno de los mitos permanentes de nuestra civilización. La verdad es un poco más complicada. Los vínculos de cariño y afecto entre padres e hijos se construyen lentamente, a medida que los comportamientos y las reacciones hacen que tanto los padres como los hijos sean más amorosos y más amables.

"LA MEJOR POLÍTICA ES LA SINCERIDAD" VS. RÓTULOS NEGATIVOS

Nuestras ideas sobre los sentimientos, desahogarse y ser sinceros sobre nuestras emociones están de alguna manera ligadas a conceptos sobre el valor terapéutico de la autoexpresión.

"Sea sincero". Ésta es ciertamente una meta valiosa. De verdad queremos que nuestros hijos aprendan a ser sinceros, pero no hay nada loable en el desahogo negativo, en el señalamiento de chivos expiatorios o en la rotulación negativa, ya sean sinceros o no. El resultado de discutirlo todo, sin tener en cuenta el dolor que pueda causar a los demás, parece tener poco que ver con la persona con quien nos estamos "sincerando" y mucho que ver con lo que esta sinceridad se supone que hace por uno: libera la confusión interna, espanta los malos sentimientos y lo convierte a uno en una persona mejor.

Pero si debemos ser delicados con los sentimientos de los demás, ¿cómo les comunicamos las verdades a nuestros hijos? El mundo exterior no siempre elogia. Con mucha frecuencia critica. Entonces, ¿no deberíamos preparar a nuestros hijos para ello? ¿En cierto sentido endurecerlos para manejar con efectividad las adversidades inevitables de la vida?

Digamos, por ejemplo, que usted juega tenis con su hijo. Él es un principiante y no lo hace muy bien. Usted sabe que quiere elogios, pero en conjunto su juego no es digno de ellos. ¿De todas maneras lo puede elogiar? ¿O debería decirle con sinceridad qué tan malo es, con la esperanza de alentarlo a esforzarse más y probablemente a ser más capaz de enfrentar la crítica sincera de los demás?

Hay un viejo dicho, "si no puede decir nada bueno de alguien, no diga nada". Como muchos viejos dichos, éste tiene algo de sentido. Sólo porque algo es verdad, no tiene que decirse, independientemente de la corriente actual que es partidaria de la sinceridad total. No le va a hacer ningún bien a usted o a su hijo decirle que es un mal jugador de tenis. Los niños creen lo que oyen sobre ellos. En cambio, un elogio por un buen revés o un servicio rápido será significativo, pues él podrá reconocer la verdad del elogio, y podrá constatar la validez de su afirmación sobre su revés con otro jugador, un espectador o un jugador profesional.

Pero cuando se trata de afirmaciones abstractas, el problema está en que el niño no puede reconocer la verdad del comentario de su padre, porque éste es inverificable. Si uno le dice a un niño que un auto de bomberos es una cuchara, pensará que uno es tonto. Él sabe por experiencia propia que son diferentes. Pero si uno califica a un niño con un rasgo de personalidad, sin importar cuán sincero y veraz crea uno que es, el niño estará fuera del ámbito de los autos de bomberos y las cucharas, en el campo de algo que es más difícil de juzgar: los rasgos abstractos de personalidad, que no están atados a objetos concretos que un niño puede reconocer.

EL RÓTULO DE LA TIMIDEZ

Samuel es callado, no habla mucho cuando hay adultos cerca. Su madre define este tipo de comportamiento como "tímido" y, con frecuencia, el niño la oye decir, "Ah, Samuel es el tímido de la casa". Probablemente, la mamá insinúa incluso que la timidez no es una cualidad que admira, y preferiría que su hijo fuera más extrovertido, como su hermano.

Samuel cree que es tímido. Pero ¿quién le va a decir lo que significa en realidad "tímido"? ¿Es malo ser tímido o posiblemente es bueno? Si su mamá dice que es tímido, debe de ser verdad.

Si los padres de Samuel se sintieran obligados a compartir con él la amplia evidencia clínica de que la timidez excesiva es una de aquellas cosas con las que algunos nacemos, tal como los ojos azules o los pies grandes, sólo agravarían las cosas. Hay estudios que muestran que uno de cada cinco o seis niños es "inhibido desde el punto de vista del comportamiento" desde el nacimiento: renuente a probar nuevos alimentos, aprensivo ante sitios nuevos o ante extraños, generalmente incómodo frente a lo que no le es familiar. Y si usted está buscando una forma de dejar bien asegurado algún rasgo negativo de la niñez, dígale a su hijo que no es culpable de la forma en que el destino lo ha tratado, que estaba predestinado a ser tímido desde su concepción. Y protéjalo de todas las consecuencias de una temprana vida normal, las cuales le podrían enseñar a tener confianza y a estimular la sociabilidad.

No importa que una tercera parte de estos niños "tímidos" hayan superado este rasgo cuando llegan a los cinco años, sin ayuda externa de ninguna clase. (De manera similar, sólo porque un niño comienza la vida con ojos azules no es seguro que sigan del mismo color.) Daniel Goleman, en su libro *Inteligencia emocional*, presenta una convincente argumentación de que la timidez y el ser temeroso por naturaleza sí responden al reaprendizaje, a pesar de no estar entre los patrones innatos de comportamiento más fáciles de cambiar. Las madres, en especial, desempeñan un papel importante para estimular o inhibir las respuestas creativas de los niños a los retos, dependiendo de si alientan la audacia o les niegan el manejo de sus miedos protegiéndolos de todo. En cualquier caso, si uno siempre define a un niño con rótulos, va a hacer que su personalidad se ajuste a ese modelo.

Los comentarios sobre la personalidad de su hijo apuntan a aspectos que nadie ve: Juana es perezosa, David actúa como un bebé, Samuel es tímido. Ya no es un asunto de autos de bomberos o de cucharas, cosas a las que todo el mundo les pone el mismo rótulo de manera consistente. La timidez, la pereza, el actuar como bebé son interpretaciones a partir de la conducta, y no todo el mundo está de acuerdo. El niño no puede constatar la validez de estas afirmaciones en otra fuente, una abuela, un amigo, un hermano, pues sus definiciones pueden ser diferentes. Más bien, tomará las palabras de sus padres como la verdad, y niño tímido, niña perezosa, mentiroso o irresponsable, se volverán su manera de pensar sobre sí mismos.

La crítica repetida destruye los sentimientos de autoestima de un niño. Los rótulos dados por los padres definen la imagen que un niño tiene de sí mismo. La sinceridad no es la mejor política en el sentido habitual del término, a menos que sea una verdad medida, referida a una conducta positiva.

El hecho es que el elogio honesto que estimula sentimientos de autoestima es la forma segura de dar a un niño defensas contra las críticas más duras del mundo. Un niño con autoestima sabe que es valioso.

DAR BUEN EJEMPLO: ¿FUNCIONA?

Nos dicen que si damos buen ejemplo a nuestros hijos, ellos seguirán nuestros pasos. Éste es otro mito con una partícula de verdad y nada más. Los niños sí imitan a los adultos, pero el dar buen ejemplo no es suficiente. Padres que dan un ejemplo excelente en términos de responsabilidad pueden tener hijos irresponsables y extremadamente dependientes. Niños de familias sociables y comunicativas pueden ser retraídos e introvertidos. Entonces, los padres deben ser más que buenos ejemplos para sus hijos. Deben estimular comportamientos que valoren, y este estímulo es probablemente más importante que cualquier ejemplo que puedan dar.

Esto no quiere decir que los niños no están influenciados por el ejemplo paterno. Las conductas iniciales con frecuencia están inspiradas por los padres y otras influencias alrededor del niño en su vida cotidiana: otros niños, profesores, parientes, televisión. Con frecuencia los niños imitan el comportamiento que ven debido a que, especialmente en los primeros años, están ansiosos de aprender del mundo que los rodea y extremadamente deseosos de aceptar lo que ven y oyen.

Los comportamientos positivos "imitados" deben ser estimulados, al igual que aquellos momentos aparentemente espontáneos de comportamiento que consideramos valioso: un gesto amable, un paso hacia la madurez, el interés por aprender. Son delicadas semillas de comportamiento que pueden ser cultivadas y ayudadas a crecer con el tipo adecuado de alimento, elogio y estímulo. Sin embargo, pueden ser igualmente desestimuladas al dejar de reforzarlas.

Con el elogio, las conductas se enriquecerán, incluso si los padres no siempre dan buen ejemplo. Su hijo puede aprender a ser responsable e independiente, incluso si algunas veces usted no es un ejemplo destacado. Padres que no se preocupan por aprender pueden tener hijos que buscan el conocimiento, si el tipo correcto de estímulo está presente. Los adultos tímidos no necesariamente tienen hijos retraídos, si hacen un esfuerzo por proporcionarle al niño el estímulo suficiente para que haga amigos.

La base de todo está en estimular el tipo de conductas que los padres valoran, ya sea opuesto o idéntico a la forma en que cualquiera de los padres se comporta. Lo vital es que las personas importantes en la vida del niño busquen los comportamientos valiosos y los estimulen. El ejemplo que usted da no es tan útil o perjudicial, como lo que usted estimula con su tiempo, atención y elogio, y la forma en que lo hace.

Con toda seguridad será mejor que hablar sobre lo que estuvo mal.

Capítulo cinco

CÓMO ENSEÑAR Y APRENDER INTELIGENCIA EMOCIONAL

Todos los padres son conscientes de su responsabilidad diaria para con los hijos: velar por alimentarlos, vestirlos y educarlos, cuidarlos... y que sean felices.

No es difícil entender lo que debe hacerse para suplir las necesidades físicas. Reconocemos los peligros, proporcionamos comida y vestido, tenemos sistemas escolares que se encargan de buena parte de la educación de nuestros hijos. Pero ¿la felicidad? ¿Quién la puede definir y, sobre todo, quién puede decir cómo se puede alcanzar?

Como dijimos, el niño feliz es el que está en contacto con las muchas satisfacciones que la vida ofrece. El camino hacia esta felicidad, tanto para padres como para hijos, es simplemente el de enseñarle al niño un repertorio adecuado de conductas, de tal manera que estas satisfacciones estén disponibles con mayor facilidad. Nuestra responsabilidad como padres es enseñarles a los niños un comportamiento apropiado, emocionalmente inteligente, de manera que la gente quiera estar con ellos y así se sientan orgullosos de sí mismos, aprendan a madurar y, con el tiempo, lleguen a ser adultos responsables.

¿Qué es comportamiento adecuado?

Puede definirse por deducción: es lo opuesto al comportamiento "incorrecto" que todo el mundo nota, los momentos perturbadores que llaman tanto la atención. Puesto que vemos con facilidad todas las cosas incorrectas, si definimos un repertorio positivo de conductas, tenemos un menú de lo que creemos que el niño debería estar haciendo.

Obviamente, esto no es todo lo que se necesita. Saber lo que queremos que un niño haga no produce automáticamente una receta para tener la inteligencia emocional necesaria para lograr que eso suceda. Una vez definidos los comportamientos apropiados, también necesitamos desarrollar un método para estimular sistemáticamente en el niño el crecimiento emocional que se requiere para cambiar la dirección de su conducta de una fuente de infelicidad, a una de satisfacción.

NADIE OYE SERMONES

Con un niño que tiene problemas, es útil examinar la forma en que aprendió sus conductas actuales antes de comenzar a enseñarle nuevas conductas. No pasa nada extraordinario con Diego, de diez años: es bueno con su hermana menor, les ayuda a sus padres, tiene muchos amigos y no perturba la armonía de la casa. Sin embargo, tiene dificultades en el colegio, lo suficientemente serias como para preocupar a sus padres.

MADRE: Diego no es tonto, lo sabemos, pero en el colegio sencillamente no tiene ninguna motivación ni el sentimiento de satisfacción que podría tener si le fuera bien.

PADRE: La primera en decirnos algo fue su profesora, en una reunión ordinaria de padres. Dijo que está distraido en clase, que es totalmente desorganizado y que nunca termina su trabajo. A pesar de que estaba sorprendido, de inmediato pensé en el último trabajo que Diego trajo a casa, y recordé que enseguida me había dado cuenta de que lo había hecho para salir del paso. Estaba lleno de errores evidentes, de cosas que sé que él sabe que están mal.

MADRE: También es descuidado en otras cosas. La semana pasada olvidó su chaqueta nueva en el patio de juegos y no puedo decirle cuántas veces ha perdido sus libros u olvidado su abrigo. Obviamente, siempre olvida la tarea.

PADRE: Ambos somos personas muy centradas en alcanzar metas, sentimos un gran compromiso por lo que hacemos y ponemos mucha energía en ello. Nos gustaría que nuestros hijos también fueran así. Su hermana menor no parece tener los problemas de Diego. Trabaja duro en el colegio, y a pesar de ser menor, esperábamos que viera en ella el ejemplo a seguir. Pero cuando ella obtiene una calificación excelente, él se pone obviamente un poco celoso, pero no se produce el más mínimo efecto en su trabajo escolar.

MADRE: Hemos tenido largas charlas con Diego sobre la importancia de alcanzar las metas, pero a duras penas escucha. Su padre sale para el trabajo todas las mañanas recordándole que trate de hacer las cosas bien en el día, de poner atención, de hacer todo lo mejor posible.

PADRE: Diego es un muy buen chico, excepto en este

aspecto. No queremos que se cohíba, pero mientras más le hablamos, menos parece escuchar. Está más descuidado que nunca, está distraído todo el día. Hemos tratado de darle un buen ejemplo, pero no ha funcionado. ¿Qué estamos haciendo mal?

Ésa es una pregunta muy común para padres como los de Diego, altamente motivados, con metas loables y una preocupación obvia por su hijo. Quieren que sea feliz, quieren que le vaya bien y no les gusta la discusión permanente, la fricción familiar y la infelicidad que resultan inevitablemente de su aparente falta de atención y actitud evasiva.

¿Qué *están* haciendo mal?

Desean comunicarle sus valores a Diego, especialmente en el área de las metas escolares. Sin embargo, están utilizando métodos ineficaces. En este punto no es necesario ahondar en las circunstancias que han hecho que Diego se comporte de esa forma en el colegio. Algunas veces, incluso incidentes menores pueden dar inicio a comportamientos negativos que se repiten y requieren atención. Para el momento en que el problema de Diego se había vuelto lo que podríamos llamar crónico, los métodos escogidos por los padres para comunicar sus valores eran: primero, establecer modelos ("ambos somos personas centradas en alcanzar metas... hemos tratado de darle un buen ejemplo...") y segundo, dar sermones ("hemos tenido largas charlas... escasamente oye"). Un problema con los sermones es que contienen críticas implícitas y algunas veces evidentes. Decirle a Diego "qué tan importantes son las metas para nosotros" es otra forma de decirle que sus padres no valoran sus acciones presentes, seguido con frecuencia de señalarle dónde se desvió del camino.

Hasta cierto punto, los niños sí aprenden con el ejemplo; ése es el significado de establecer modelos, y casi todos nosotros comenzamos nuestra vida tratando de imitar a nuestros padres. Pero de hecho, comunicar valores a través del ejemplo suele no ser muy efectivo. El terapeuta infantil tradicional que le "da un buen ejemplo" al niño con quien trabaja, tiene que esforzarse muchos años antes de ver que su ejemplo se siga, si es que eso sucede. Con la paciencia de un santo, los padres pueden esperar a que su ejemplo les dé a sus hijos la inspiración para imitarlos y, si tienen suerte, así será. Pero en algo tan importante como la educación de un niño, no deberíamos confiar únicamente en la suerte.

La otra forma obvia de comunicar valores es mediante la palabra. Pero al enfrentar un problema de conducta, esas palabras tienden a volverse sermones. Como sabemos, un sermón es un discurso que trata de hacer que la gente cambie su forma de actuar: "No estás haciendo las cosas como yo esperaba y quiero que cambies en una dirección específica".

Nadie puede probar que los sermones predicados en los templos semana tras semana durante siglos, o en reuniones de evangelización que repiten las mismas exhortaciones una y otra vez, tengan algún efecto permanente y positivo sobre las masas de gente que escucha.

Nadie puede probar (y muchos son los padres cuya experiencia lo refuta) que los sermones sobre buenos valores y buen comportamiento que los padres les dan a sus hijos tienen efecto sobre los jóvenes escuchas.

Las palabras de los padres pueden enviar mensajes muy poderosos, pero no, lamento decirlo, en apoyo de las metas del sermón.

Parte del problema de dar sermones es que rara vez elogian. En lugar de eso, el sermón generalmente dice: "Esto es lo que has hecho mal, cómo no has estado a la altura, en qué has fallado; y ésta es la forma en que debes cambiar, en que debes mejorar". Al comunicarle valores al niño, le dice: "Éste es el comportamiento que estoy criticando", y "ésta es la forma como quiero que te portes; éste es el comportamiento valioso".

La crítica es desagradable. A nadie le gusta que lo critiquen, nadie se va a sentir bien si frecuentemente le hacen comentarios negativos. Duele, y a nadie le gusta que le duela, física o verbalmente. A pesar de que las personas que asisten a la iglesia o a reuniones de evangelización pueden estar buscando un sentido para su vida, de todas maneras les duele cuando un clérigo, que supuestamente habla con la más alta autoridad espiritual, les señala lo que están haciendo mal. De la misma manera, un niño a quien sus padres, que hablan con la más alta autoridad que conoce, le dan un sermón es susceptible de que le hagan daño las críticas que estas palabras contienen. ¿Sorprende acaso que las palabras siguientes, que le dicen lo que debería hacer, caigan en oídos sordos?

La respuesta natural a la crítica es sentir rabia y desentenderse del mensaje que, supuestamente, va a tener una influencia positiva. El niño se puede proteger de las palabras negativas de crítica oponiéndose a sus padres, quizás tratando de entablar un diálogo que justifique su conducta. (Esta forma no está limitada a los niños; ¿su reacción a la crítica de sus coetáneos no es con frecuencia la furia y/o tratar de defenderse?) O puede simplemente dejar de oír las palabras desagradables y todo lo que sigue.

Con el objeto de protegerse de la crítica dolorosa, el niño deja de oír. El sermón ha surtido el efecto contrario al que se proponía: no escuchar es incompatible con el aprendizaje, entonces, en vez de enmendar el comportamiento improductivo o inadecuado, el sermón lo afianza.

Un niño no aprende valores oyendo hablar de ellos en un discurso admonitorio que comunica un mensaje, después de una crítica. Puede que Diego quiera trabajar mejor en el colegio, pero su comportamiento desintonizado con los padres y profesores no es extraño. Está haciendo a su manera lo que usted o yo haríamos en circunstancias similares.

Algunas veces los padres recurren a diferentes formas de castigo para ayudar a comunicar valores: por ejemplo, enviar al niño a su cuarto para pensar sobre sus infracciones durante treinta minutos. El castigo, utilizado con poca frecuencia, es de alguna utilidad en la educación de los niños; pero no me puedo imaginar a muchos niños que se someterían voluntariamente a treinta minutos (o treinta segundos) de reflexión dolorosa. Pensarán sobre algo, pero no sobre lo que hicieron o la manera de mejorar.

LA RESPUESTA QUE ALIENTA

Todo lo anterior nos lleva a pensar en qué método utilizar para enseñar valores y cuándo hacerlo. Si quiere enseñarle valores a su hijo para ayudarle a aprender un comportamiento más apropiado, el momento para hacerlo no es después de la crítica. Ése es el momento antididáctico para enseñar, pues no le escuchará y no aprenderá nada útil.

Hay un momento correcto, un momento en el que el niño está escuchando y está abierto a aprender lo que usted le dice. Ése es el "momento propicio para enseñar", una frase que ha sido utilizada antes en diferentes contextos, pero que es una descripción perfecta del momento en que usted puede estar seguro de que sus palabras van a ser escuchadas y absorbidas.

El momento propicio para enseñar, que es la clave para enseñar valores y conductas, se da justo después de elogiar a un niño por algo que ha hecho y que a usted le agrada, que representa un comportamiento valioso que a usted le gustaría que se repitiera y, más que repetirse, que se volviera parte de su personalidad.

Es propio de la naturaleza humana ser un auditorio fascinado y atento al escuchar palabras sinceras de elogio, que confirman que uno es realmente una persona valiosa. Aunque un niño puede escucharle en otros momentos y puede aprender de lo que se le dice, usted puede estar seguro de su impacto únicamente en el momento propicio para enseñar.

Al hablar con Diego sobre su conducta escolar, sus

padres ponen una barrera infranqueable de crítica abierta o implícita que precede al futuro diálogo, y esa barrera hace que esos momentos sean muy poco útiles para comunicar sus ideas sobre cómo podría mejorar. Se desalienta a Diego con estos recordatorios de sus fracasos y, de todas maneras, ya lo ha oído antes.

Pero el proceso no tiene que empezar con aspectos negativos. Ciertamente hay ocasiones en las que Diego se las arregla para llevar a casa todos sus libros, abrigos y botas, cuando escribe un texto mejor de lo acostumbrado, cuando demuestra precisamente el comportamiento que sus padres están tratando de alentar para que sea más frecuente. Estas ocasiones les proporcionan a los padres una oportunidad ideal para animar a su hijo a repetir los comportamientos positivos, en la medida en que éstos producen algo bueno. Si se elogia a Diego por estos sucesos, lamentablemente raros pero deseados, sus padres pueden estar seguros de que el niño estará en sintonía, y de que cada palabra se registrará con un impacto máximo. El elogio suena bien y en ese contexto cualquier otra cosa que sus padres tengan que decir sobre sus valores no pasará inadvertida: la importancia de las metas, lo responsable que es al cuidar su ropa, lo maduro que es al hacer su trabajo escolar rápido y bien.

Durante el momento propicio para enseñar, el padre y la madre de Diego pueden comunicar los valores que piensan que son importantes. A pesar de existir un consenso general sobre lo que es una conducta correcta y lo que no lo es, y sobre qué valores son significativos, en realidad está en manos de los padres estimular las cualidades que ellos personalmente desean ver en sus hijos. Todos los padres pueden aprender a comunicar valores con un fin determinado, en vez de al azar, sencillamente reconociendo en qué momento un niño es más receptivo. Pueden enseñar comportamientos adecuados, ayudarle a un niño a aprender comportamientos positivos y estimular los sentimientos de autoestima tan importantes para la creación de un ser humano feliz.

El momento propicio para aprender es de gran importancia y los padres deben hacer un esfuerzo consciente y consistente para aprender a utilizarlo. Obviamente, ésta no es una idea ajena a muchos padres. Todos conocemos personas que no tienen dificultad para escoger el momento adecuado para el elogio espontáneo, y parece que siguen de manera natural los métodos que yo enseño. Es probable que su propia crianza les haya enseñado a ver y responder a los momentos en que se da el comportamiento que queremos estimular. Pero cualquiera puede hacerlo, ya sea que deseen cambiar una conducta inadecuada o alimentar comportamientos positivos hasta que éstos sean tan fuertes que no haya que apuntalarlos.

COMUNICANDO VALORES

La secuencia para comunicarle valores a un niño es tan fácil como ABCD, y es tan sencilla que rápidamente se vuelve una forma natural de relacionarse con los hijos. Comience con una nueva disposición y aprenda a mirar a sus hijos con nuevos ojos. Busque momentos de comportamiento tranquilo pero positivo, y que usted desea estimular. Luego, entre treinta minutos y varias horas después, según su conveniencia, haga lo siguiente:

A. Lleve a su niño aparte, en privado, y reviva la conducta previa describiéndola con palabras. Haga que el comportamiento sea tan vívido que a medida que se lo cuente a su hijo éste pueda visualizarlo en la mente.

B. Luego continúe de inmediato con un elogio al cien por ciento. No diga: "Es bueno ver que para variar no le estás pegando a tu hermano". Dígale a su hijo que ha hecho algo que a usted le agrada, que se ha comportado de una manera que no sólo usted, sino sus amigos y las personas ajenas al hogar, consideran adecuada. Y elógielo de manera específica. El saber *cómo* elogiar es tan importante como saber *cuándo* hacerlo (dos dimensiones que se discutirán más detalladamente en los dos capítulos siguientes). En esta secuencia, el elogio le da a usted la atención plena de su hijo.

C. Luego dígale de inmediato la razón por la que su comportamiento es valioso. "Te estabas portando como un buen amigo", o "a la gente le gusta eso en un amigo", o "eso fue la actitud de un niño grande, maduro y más adulto".

D. De inmediato — y de manera casual — pase entre cinco y quince minutos haciendo algo que su hijo disfrute. El pasar tiempo agradable juntos es una inversión adicional efectiva en comportamientos que valen la pena, que confirma el elogio y lo asocia en la mente del niño a otro evento positivo. No es soborno — "si haces esto, yo haré aquello por ti" — sino una forma de atención después de una conducta valiosa. Este tipo de refuerzo positivo es mucho más provechoso que prestarle atención, por ejemplo, a la renuencia a comer, a la rabieta o a cualquiera otro de los muchos comportamientos perturbadores que ocupan a los padres y con frecuencia los conducen por un sendero sin salida.

Esta secuencia de ABCD puede aplicarse para comunicar valores y enseñar conductas en casi todas las situaciones en la crianza de un niño. Es una manera positiva de ayudarle a aprender comportamientos y, a diferencia de los prolongados períodos que la terapia infantil tradicional requiere, es una forma sorprendentemente rápida de cambiar conductas y sentimientos, incluso aquéllos que han estado arraigados por años. Lo mejor de todo es que está totalmente en manos de los padres. Establecen las metas que quieren alcanzar y deciden cuál comportamiento consideran valioso y cuál carece de valor. Las decisiones no las toma una tercera persona, un terapeuta o un consejero, sino las personas más interesadas en que el niño crezca de acuerdo con su sistema de valores y conductas.

Como cualquier otra persona, los niños quieren sentirse bien consigo mismos y así comienzan rápidamente a portarse de una manera que genere elogios y afecto, atención y cariño, tan esenciales para un sentimiento de satisfacción, autoestima y una verdadera inteligencia emocional. Lo único que usted tiene que hacer para llevarlos por el camino correcto es aprovechar el momento adecuado y volverlo significativo con el elogio. Cada uno de estos estímulos al comportamiento valorado es un paso pequeño pero significativo hacia una vida feliz y productiva.

Capítulo seis

ESCRIBIENDO EN EL LIBRO DE LA VIDA DE SU HIJO

La neurología moderna nos dice que nuestros recuerdos duran toda la vida y ejercen influencia sobre nuestra forma de actuar mucho tiempo después de que nuestros imperfectos sistemas de memoria se han desgastado y hemos perdido la capacidad de recordar detalles o incluso eventos completos. De manera similar, todo lo que les sucede a los niños está escrito en sus recuerdos y permanece allí hasta el final de su vida.

Dentro de cincuenta años, Ana no será capaz de recordar los detalles de todos los momentos reconfor-

tantes o desalentadores que llenan su sexto o séptimo
año. No recordará cada conversación con sus padres,
todos los "¡Eres maravillosa!" o cada "¿Cómo pudiste?"
Pero gran parte de sus sentimientos hacia sí misma
habrá sido impreso por sus padres en su niñez. El libro
de la vida de Ana, como el de cada uno de nosotros,
es una hilación no tanto de eventos como de las señales que ha recibido sobre el tipo de persona que tanto
sus padres, como los demás, decidieron que ella fuera.
Más que un libro mayor de activos y pasivos, tiene
una trama que marcará la manera en que Ana lea su
balance general tanto a lo seis como a los sesenta y seis
años.

Ésa es la razón por la cual, en todas las transaccio-
nes entre padres e hijos, es imposible exagerar el poder del elogio apropiado. Esto es algo que le da al niño
una actitud positiva hacia sí mismo, y que puede
moldear toda su vida.

Hemos hablado sobre cuándo elogiar y cuándo comunicarle a su hijo que el comportamiento es valioso.
Ahora estudiemos la manera de hacerlo.

"SOY UNA PERSONA VALIOSA"

Con frecuencia me cruzo con adultos que ven la
vida como una serie de exámenes que se repiten. Su

vida diaria es un intento interminable por probar su valor, intento que está destinado al fracaso. A pesar de que estos sentimientos pueden impulsarlos al éxito en situaciones comerciales, académicas y sociales, ningún logro parece aumentar sus sentimientos de autoestima. El éxito alcanzado se logra a un costo muy alto: la tensión constante, la incapacidad de descansar debido a que la vida es una lucha incesante para afirmar que realmente están haciendo un buen trabajo y valen como personas.

Otros hasta carecen de este impulso para triunfar. Desacreditan todos sus logros, nada es "suficientemente bueno". Es como si estas personas se estuvieran diciendo a sí mismas, "cualquier cosa que yo haga es inservible pues lo he hecho yo, y soy un ser humano inútil". Es como el viejo chiste de Groucho Marx sobre su respuesta a la invitación para ingresar al Club Friars. Groucho decía que tenía dudas de si debía pertenecer a un club que estuviese dispuesto a aceptarlo como miembro.

Lo que vemos en los adultos es una forma de pensar sobre sí mismos que tiene sus raíces en la infancia. Si nadie le ayuda al niño a establecer las bases del amor propio, si nunca se le elogia y siempre se le critica, va a tener serias dudas sobre sus sentimientos de autoestima. Y a medida que ese niño crezca, las cosas no mejorarán. Seguirá sin tener sentimientos positivos de autoestima.

Los padres tienen una oportunidad única para estimular sentimientos positivos de autoestima en sus hijos. Sus palabras tienen un impacto enorme. Darle a un niño esta sensación de autoestima puede ser la responsabilidad más importante que tienen los padres, si quieren un hijo feliz que llegue a ser un adulto feliz.

El elogio específico — unido incluso a pequeños eventos que un niño recuerda y a los comportamientos que queremos estimular — construye la autoestima y contribuye a la columna de activos del balance general. Cada vez que un niño se encuentre en una situación similar, aprenderá un poco más sobre los tipos de comportamiento apropiado, lo que le dará recompensas adicionales de elogio y éxito.

Con el tiempo, lo que los padres ven y elogian en estos momentos sencillos y tranquilos se volverá el comportamiento habitual del niño, una cualidad de su personalidad. Estos rasgos, que se manifiestan en la forma de comportarse del niño, son lo que los demás ven y también consideran digno de elogio.

Mediante ese elogio adecuado, cuando uno felicita a un niño por ser cortés o cuidadoso, por ser maduro o buen amigo, se ofrece algo que tiene un efecto mucho más importante que sólo hacer que el niño se sienta bien en el momento. Poco a poco, las palabras de elogio dichas por los padres se vuelven parte de lo que el niño piensa sobre sí mismo como persona:

A los demás les gusta lo que hago, entonces talvez yo debería sentirme orgulloso. Probablemente sí me merezco las palabras de elogio de mi papá o mi mamá. Sí, soy importante.

Me gusto a mí mismo.

Soy competente, maduro, responsable.

Sé lo que hago y estoy haciendo un buen trabajo.

Soy una persona valiosa.

En tiempos venideros, incluso cuando el elogio sea menos frecuente en un mundo muchas veces indiferente, el sentimiento de mérito siempre estará ahí.

EVITE DEVALUAR EL ELOGIO

Si uno reconoce un comportamiento positivo con un elogio, que es una de las recompensas más poderosas que hay para un niño o un adulto, la conducta elogiada ocurrirá con más frecuencia. Sin embargo, no se debe exagerar el elogio hasta el punto de devaluar el regalo. El elogio indiscriminado disminuye el valor de la recompensa que se ha ganado, y el elogio excesivo desestimula en el niño la internalización de sen-

timientos de amor propio, produciendo una dependencia excesiva de las palabras externas de aprobación. Usted está preparando al niño para un mundo en
el cual el elogio no se da repetidamente por todas las
cosas que son dignas de él y un mundo que considera
que demasiado elogio no es sincero. Si usted elogia
efectivamente para construir una base sólida de autoestima, el elogio constante es innecesario.

Los padres también pueden elogiar por error las
cosas incorrectas. Sonia tiene ocho años y nadie diría
que es una niña que se comporta mal. Es callada y
amable y hace sus cosas sin perturbar la armonía. Sus
padres nunca han tenido que criticarla, ni han querido
hacerlo. Sin embargo, Sonia tiene dudas sobre su valor
como persona. Nunca siente que es competente, realmente no cree que debería sentirse orgullosa de sí
misma. Con frecuencia se le elogia inadecuadamente,
no sólo por comportamientos positivos sino por ausencia de comportamiento.

"Eres una niña tan buena, eres tan callada, ni siquiera sabía que estabas aquí".

"Callada como un ratón... buena como el oro".

A Sonia la elogian por no hacer nada, y sus padres
la consideran una "buena" niña. Y lo es, pero alimentar la pasividad la estimula a andar por la vida insegura
de su valor, salvo cuando no hace nada en absoluto.

Cuando los padres no le dicen que les gusta lo que hace más que lo que deja de hacer, cuando equiparan los hábitos de ausencia de comportamiento con la buena conducta, corren el riesgo de fijar ese mensaje.

En especial en las niñas pequeñas, la conducta tranquila es vista tradicionalmente como "buen" comportamiento, mientras que el alboroto físico puede ser considerado más común en los niños. Esperamos que los niños participen con más frecuencia en situaciones que crean desorden momentáneo, pero debido a que ese "mal" comportamiento está dentro de las normas culturales, reciben menos incentivos para ser pasivos o para no actuar.

Marcelo descubre que es divertido tirar piedras, y algo se rompe. Ese comportamiento no le atrae un elogio de sus padres sino, por el contrario, se gana, como mínimo, un regaño. Sin embargo, esa respuesta probablemente no logra que el niño deje de tirar piedras.

Cuán distinto sería si su mamá o su papá se fijaran en el hecho de que Marcelo está aprendiendo a lanzar bien, lo elogiaran por esa demostración de una habilidad adulta, luego le sugirieran que obtendría mucha más satisfacción si lanzara una pelota en vez de una piedra y lo invitaran a usar esa habilidad para lanzar más bien una pelota de béisbol o de fútbol.

En vez de pensar, "soy un niño malo porque tiro

piedras y rompo cosas", Marcelo pensará, "soy capaz, soy bueno para lanzar la pelota, mis padres me elogian... me merezco este elogio".

La construcción del amor propio en los niños crea un proceso y un mapa, alentándolos a dar por sentado su propio valor y dándoles orientación para obtener habitualmente una gratificación similar a lo largo de la vida. Entre tanto, al no necesitar desperdiciar energía y perder impulso en sentimientos de duda sobre sí mismos, podrán usar su energía para trabajar en busca de metas productivas. El libro de la vida que tiene un comienzo feliz probablemente seguirá feliz hasta el capítulo final.

¿CÓMO SABEMOS QUE EL ELOGIO FUNCIONA?

El proceso del elogio, el de la construcción del amor propio y de los comportamientos adecuados en nuestros hijos no es necesariamente rápido, y una palabra de elogio no siempre cambia inmediatamente el comportamiento. Estimular conductas tranquilas, a medida que el niño las presenta desde los primeros años, con frecuencia funciona de la misma manera que una píldora de acción prolongada contra el resfriado, salvo que se extiende mucho más en el tiempo.

Como psicólogo que ha enseñado a los padres cómo utilizar este método con sus hijos, tengo confianza en el resultado a largo plazo, debido a las veces que lo he visto funcionar. Los padres deben tener algo de esa misma confianza en que se está dando un proceso en el cual algunos resultados no son inmediatos, en especial cuando involucran cualidades como la madurez, la amabilidad y la responsabilidad.

Sí funciona.

Recuerde el momento en que su hijo dijo su primera palabra. "Mamá..." Probablemente fue un momento importante en su vida.

Usted estimuló a su hijo, "dilo de nuevo, di mamá..." Y se lo contó al papá, a la abuelita, a las tías, tíos, vecinos. Usted recompensó esas valiosas primeras palabras con atención e, implícito en la atención, con elogio.

¿Qué tal los primeros pasos del bebé? Más elogio. Lo mismo para cualquiera de los otros acontecimientos que marcan la transición entre el infante indefenso y el niño. Estimular una palabra lleva a decir más palabras. Estimular el primer paso lleva a hacer un esfuerzo por dar más pasos, a pesar de las caídas y las narices golpeadas.

Pero ¿qué sucede con otros logros, menos concretos, que también son parte del crecimiento? Infortunadamente, no le prestamos una atención equivalente al florecimiento de habilidades que son menos obvias: amabilidad y cariño, sinceridad, sentido del humor, sensibilidad hacia los demás, todas las cosas a las que nos referimos en realidad cuando hablamos de un niño feliz. Sin embargo, si vemos que aprender a caminar y a hablar, o aprender a amarrarse los zapatos y comer apropiadamente, pueden ser estimulados con elogios y atención, ¿por qué no las otras habilidades, incluso si las ocasiones en que se necesita, por ejemplo, la sinceridad, no se dan con tanta frecuencia ni tan regularmente como la necesidad de hablar o amarrarse los zapatos?

Estas habilidades también pueden ser estimuladas y los hábitos de carácter deberían ser elogiados con la misma notoriedad y el mismo entusiasmo que un padre le concede a cualquier acontecimiento importante del desarrollo del niño.

ABRIENDO NUEVOS CAPÍTULOS

Al pensar en la clase de conductas que uno quiere estimular en su hijo, probablemente se encontrará con las mismas categorías que valoran la mayoría de los padres. *Cariño entre hermanos* e *interés por aprender* son dos categorías comunes. Otro par de nombres que me han parecido útiles son *comportamientos estilo Madre Teresa* y *asumir con calma la frustración*. A continuación se ilustra cómo funcionan.

Asumir con calma la frustración

El horario del programa favorito de televisión de Juana ha cambiado, y ahora es después de su hora de acostarse. Sin quejarse, acepta que ya no podrá verlo.

Una crisis de ropa surge cuando Sara se está vistiendo para el colegio: no encuentra sus zapatos favoritos. Después de un gran esfuerzo tanto de Sara como de su mamá por encontrarlos, la niñita dice: "Está bien, mamá; los buscamos esta noche cuando vuelva a casa".

Guillermo le pregunta a su mamá si un amigo puede venir a comer esa noche, y ella dice que no por ser noche de colegio. El niño dice: "Bueno".

A pesar de que María ha jugado todo el día con su amiga, es obvio que se molesta porque se está acabando la diversión cuando su mamá llega a recogerla. Sin embargo, deja de jugar, se pone el abrigo y le dice a su amiga: "Me divertí mucho hoy; nos vemos mañana".

El cariño entre hermanos

Cristina entra en puntillas al cuarto de su hermanita Samantha, y cuando ve que la bebé está despierta, le empieza a cantar canciones.

Jorge le lee un cuento a su hermanito.

Natalia le pide a su mamá que compre otro cono de helado para compartirlo con su hermanita.

Camilo quiere jugar a los vaqueros, pero acepta de buen grado un juego distinto cuando su hermana mayor lo sugiere.

Los comportamientos estilo Madre Teresa

Juan ya está retrasado para el juego de béisbol, pero le pide a su madre que se demore para recoger a un amigo que no tiene transporte.

Beatriz invita a la niña nueva del colegio a su casa "porque acaba de mudarse y aún no tiene amigos".

Cuando Harold se levanta de la mesa del comedor, lleva su plato al fregadero.

Patricia le baja el volumen a la televisión, cuando su mamá está usando el teléfono.

Iván recoge flores para su mamá al regresar del colegio.

El interés por aprender

Los mellizos juegan a leer los avisos de las calles durante un paseo familiar.

Angela y Ruth realizan un concurso de ortografía.

Federico lee el periódico de su padre todas las tardes al volver del colegio.

Como yo lo veo, los padres son los jardineros del jardín de conductas de sus hijos, y deben seleccionar y estimular aquellos comportamientos que son la base del amor propio, la felicidad y los rasgos de carácter que quieren que sus hijos tengan como adultos. Este proceso se llama selección de los padres.

LOS INSTINTOS Y LOS PADRES

Uno podría decir que hablar y caminar son comportamientos instintivos. Lo son. La capacidad humana para caminar erguido y emitir sonidos que expresen nuestros pensamientos son innatos en nosotros y florecen alimentándolos con el estímulo y el ejemplo. Pero hay instintos de "instintos" y hoy en día los padres se confunden con lo que se llama "seguir los instintos" en la crianza de sus hijos. Demasiados consejeros en la educación infantil sugieren que cualquier cosa que se haga como padre está bien; hay una buena probabilidad de que lo que usted haga "instintivamente" esté bien. Puede que creerlo le ayude a dormir bien por la noche, pero no se confíe. Algunos de los aspectos más importantes de la paternidad no funcionan de esa manera.

Obviamente tenemos instintos, no sólo nuestros medios de locomoción y la manera en que usamos nuestras cuerdas vocales, sino también instintos para comer, para el sexo, para la actividad. La variedad de opciones que tenemos para satisfacer esos instintos es lo que nos distingue de las hormigas y las abejas, que se mueven, emiten sonidos, comen, se reproducen y realizan sus actividades dentro de un rango muy limitado. Por ejemplo, una abeja del Norte de los Estados Unidos se comporta de manera muy similar a una abeja del sur de Chile, pero un niño nacido en América y criado en China no va a ser el mismo niño que hubiera sido de haberse quedado en su lugar de origen. Sus instintos serán los mismos, pero su manera de satisfacerlos será distinta. La mayor parte del comportamiento de los seres humanos no está grabada en los genes, como en el caso de las hormigas y las abejas.

El proceso del desarrollo en la niñez tiene mucho más que ver con lo que yo llamo "selección de los padres" que con la selección natural. Los padres no pueden sencillamente seguir los impulsos que les parezcan más fuertes en el momento; tienen que usar el cerebro para seleccionar de manera deliberada y consistente aquellos comportamientos que estén de acuerdo con los valores que quieren promover en sus hijos a través del proceso de educación.

LOS "INSTINTOS PATERNOS" SE ADQUIEREN

El concepto del instinto paterno universal es una falacia. Los padres que "siguen sus instintos" no están respondiendo a un impulso profundo común a todas las personas. Están respondiendo a aspectos del repertorio de comportamientos que aprendieron de sus padres. Esto no es ni bueno ni malo, pero le quita el encanto que rodea al mito de seguir nuestros instintos. Los instintos en cuestión son en realidad formas de comportamiento adquiridas — la forma en que adquirimos preferencias alimenticias, actitudes hacia la religión, la política, los hombres, las mujeres — de las personas que nos criaron.

Puede que usted no sea, por ejemplo, el tipo de persona que ha aprendido a elogiar espontáneamente, pero usted puede esforzarse conscientemente para hacerlo, incluso si eso contradice sus llamados instintos; en otras palabras, lo que aprendió en el pasado. Si, por otra parte, usted es un padre que parece tener una habilidad "instintiva" para ver y comprender lo que debería ser elogiado, probablemente es una persona que fue elogiada en la infancia.

El "instinto" del elogio es, afortunadamente, algo que se puede adquirir. Esto nos lleva a aprender a mirar a nuestros hijos con nuevos ojos, y a responder a lo que vemos, no importa cuán pequeño tranquilo o previsible sea, con estímulo y con el conocimiento de que nuestras palabras van a tener un efecto profundo en su comportamiento.

SELECCIÓN/RECHAZO: ¿PUEDE EL AMOR VOLVER A UN NIÑO ANTIPÁTICO?

Para bien o para mal, la teoría de Darwin de la selección natural no es aplicable al comportamiento infantil. La conducta más adecuada no necesariamente sobrevive, mientras que el comportamiento adaptativo menos apropiado se marchita en la vid. Al educar a los hijos, los padres deben seleccionar o rechazar, elegir las conductas que quieren que sobrevivan y aquéllas que les gustaría que se desvanecieran. En la crianza la selección natural no funciona a través del legado genético del niño, sino a través de lo que los padres les dicen a sus hijos, de las formas en que presentan y cultivan sus propios valores.

Un problema con ese método es que con frecuencia el sistema de creencias del adulto es extremadamente negativo y potencialmente dañino. Consideren el caso común de una madre que es ella misma producto de una crianza abusiva; la tachaban de estúpida, irresponsable, deshonesta o fea cuando niña. Al tratar de ser el progenitor que quiso para ella, en vez de ser una madre abusiva se vuelve extremadamente permisiva. Es fácil imaginarla diciéndose a sí misma cuando niña, "Cuando crezca, voy a ser lo opuesto a mi mamá; voy a ser la mamá que yo quise tener". Y para lograr esa ambición, crea un monstruo al fomentar comportamientos que deben ser desestimulados.

Eso es más o menos lo que le pasaba a Helen Keller, antes de que Annie Sullivan entrara en escena. No había abuso, pero sus padres sentían lástima por ella y estimularon comportamientos que con el tiempo se salieron completamente de control. Con o sin abuso en su pasado, muchos padres fomentan conductas que se salen de control porque quieren llegar a ser los padres que nunca tuvieron, y como resultado tienen dificultad al establecer límites apropiados.

Recuerdo una mujer que llegó a la maternidad con esos antecedentes, y su propia hija estaba completamente fuera de control. Cada vez que la niña hacía algo extravagante, en vez de responder con las reacciones adecuadas, ella se sentaba y trataba de persuadirla de portarse apropiadamente. Había momentos en los que la mamá sentía tal frustración que le gritaba a la niña con furia. Pero incluso eso no les ayudaba a

romper el círculo; después de una hora o dos de examinar sus propias acciones a la luz del recuerdo del
dolor infantil, la madre se arrastraba hacia su hija y le
imploraba que la perdonara.

Lo que tanto la madre como la hija necesitaban
saber era que los gritos de la mamá no significaban
nada distinto a que había llegado a su límite, lo cual
era el resultado natural de que la niña había hecho
todo lo posible por provocarla.

Cuando las formas de responderles a los niños están
en función de estos sistemas de creencias tempranas,
"seguir los instintos" es una ruta arriesgada hacia la
elección de lo correcto. Lo que no se rechaza, bien
puede terminar siendo el problema de comportamiento que lleva a los padres al psicólogo infantil.

Existen ideas bastante comunes sobre los comportamientos "correctos" e "incorrectos", especialmente estos últimos, debido a que tienden a perturbar las aguas
de una manera obvia. Uno se da cuenta con rapidez
de que a Diego no le va bien en el colegio, de que
Carolina no tiene amigos, de que Marcelo tira piedras,
o de que su hijo dice mentiras o su hija siempre es un
problema a la hora de comer. Si es cuestión de blanco
y negro, no hay problema para reconocerlo, y lo único
que tal vez haya que hacer es encontrar una forma de
corregir lo que está mal y estimular lo que está bien.

Pero la selección y el rechazo son un poco más difíciles en las áreas grises, que son justamente aquéllas en las que los "instintos" tienen más probabilidad de fallar.

Queremos que nuestros hijos sean felices. Queremos lo mejor para ellos. Queremos darles lo que pensamos que les va a dar satisfacciones. Al igual que los adultos, los niños usan los objetos para medir la felicidad, y muchos son los padres que sucumben a las solicitudes de un juguete visto en televisión, de un tipo de dulces, todo en el intento de que sus hijos sean felices. Sin embargo, la dependencia de los bienes materiales simplemente muestra qué tan fácil nos confundimos en el impulso de dar el regalo que vale la pena. La dependencia casi total de ese tipo de gratificación para los niños, incluso con la mejor de las intenciones, es el camino menos prometedor hacia la felicidad.

Hay muchas formas en las que podemos hacer demasiado por nuestros hijos. El idilio de los Mares del Sur, el sueño del Edén, en donde la comida se cae de los árboles en un clima benévolo, y donde no se necesita hacer ningún esfuerzo para sobrevivir, es un engaño. Y esa visión del paraíso no se inserta fácilmente en las comodidades de la sociedad tecnológica y la "buena vida" ejemplificada por la sociedad occidental.

El concepto de algo a cambio de nada puede producir trastornos culturales que no son fáciles de solucionar. Puede llevar a la infelicidad.

En la obra de teatro de William Gibson, *The Miracle Worker*, Annie Sullivan encuentra a una Helen Keller salvaje e inmanejable y a su madre. La señora Keller dice, "como la oveja perdida de la parábola, la quiero aún más". Annie, cuya tarea es educar a Helen, dice, "señora Keller, no creo que las peores limitaciones de Helen sean ni la sordera ni la ceguera; creo que son su amor y su lástima... Todos aquí le tienen tanta lástima que la han tenido como a una mascota. Porque, hasta a un perro se le enseña a hacer sus necesidades..."

La forma equivocada de amor puede volver antipático a un niño. El amor no siempre significa permiso y no siempre significa gratificación. Cuando decimos sí por "instinto", pero deberíamos decir no, damos el tipo equivocado de amor porque es más fácil y nos hace sentir bien por un instante.

Capítulo siete

CÓMO ELOGIAR, CUÁNDO ELOGIAR, QUÉ ELOGIAR

Los padres elogian a sus hijos naturalmente. Casi ni pensamos en ello, a pesar de que sabemos que elogiar es bueno y, para la mayoría de las personas, fácil. El elogio paterno construye el amor propio de un niño, el tranquilo sentimiento íntimo de ser capaz que ayuda a determinar el éxito en la vida.

Sin embargo, no debemos pensar que es necesario elogiar a nuestros niños constantemente. De hecho, como ya lo mencioné, si elogiamos demasiado desestimularemos el desarrollo de lo que podría llamarse "autoelogio", la capacidad del niño para saber que está haciendo algo bien sin que se lo digan, y estimularemos la dependencia excesiva de las palabras externas de aprobación.

Al comienzo todo niño necesita palabras de elogio, aprobación sincera y estímulo de comportamientos ordinarios. Sin embargo, no pasa mucho tiempo antes de que esa necesidad se reduzca y debemos tratar de preparar al niño para un mundo en el que el elogio no se da repetidamente por todas las cosas que lo merecen. La mayoría de los niños cuando crecen, interpretarán el elogio paterno demasiado frecuente como algo falso o incluso manipulador, al darse cuenta de que las palmaditas en la espalda no se dan con tanta frecuencia en otras partes.

¿QUÉ EXPRESA REALMENTE SU ELOGIO?

Hemos examinado el papel que desempeña el elogio en el momento propicio para enseñar, el cual se da después de las palabras de elogio para comunicar valores o enseñar comportamientos. Pero decirle simplemente a un padre que elogie a un niño es como si el doctor le dijera a un enfermo que se tomara un medicamento sin especificar el nombre, la dosificación o el tiempo durante el cual lo debe tomar. Los medicamentos, como el elogio, son buenos, pero sin unas pocas instrucciones ambas recetas son igualmente inservibles y potencialmente dañinas.

La receta para dar elogios que estimulen comportamientos adecuados es simple:

• Sea concreto.
• Elogie al cien por ciento.

"Fuiste muy bueno" no le dice mucho a un niño, a pesar de ser claramente un elogio. "Fuiste muy amable cuando ayudaste a tu hermano a leer el cuento. Eso es ser considerado y maduro, y me gusta mucho", le dice al niño exactamente lo que ha hecho y por qué le agrada a usted.

Con frecuencia lo que los padres creen que es un elogio está en realidad cargado de críticas implícitas, cosas que nunca dirían si se acordaran de decir cosas concretas y de todo corazón sobre el comportamiento que están tratando de estimular. Debido a que los padres normalmente les ponen más atención a las conductas que rompen la armonía, cuando el niño se porta bien "por variar" este comportamiento se compara con el usual. A menos que los padres sean cuidadosos y deliberados, es muy fácil sucumbir al patrón de elogiar esos cortos momentos de comportamiento tranquilo y positivo en términos completamente equivocados, con un lenguaje cargado de crítica sutil. Cuando las palabras pronunciadas son elogiosas pero hay otro significado detrás, los niños rápidamente perciben el segundo mensaje. El elogio no tiene valor a menos que sea completo y esté concretamente ligado al comportamiento que se quiere estimular.

A continuación encontramos algunos ejemplos de elogio que son en realidad críticas y la forma como la buena conducta podría haber sido mejor fomentada.

No elogio: "Por variar, esta tarde jugaste muy amigablemente".

SIGNIFICADO: No noté lo que hiciste con amabilidad, sólo estoy feliz porque no peleaste ni discutiste.

"Jugar amigablemente" no le dice mucho a un niño, y "por variar" no es de ninguna manera un elogio, sino una crítica implícita sobre el comportamiento acostumbrado. El comentario no le da al niño ningún incentivo para repetir lo que fue "amigable", y básicamente se le dice que lo que le agrada a su progenitor es que no obtenga la acostumbrada atención negativa.

Elogio real: "Jugaste muy amigablemente esta tarde. Me gustó la manera en que le mostraste a Juan cómo pegar el nuevo aeromodelo para pintarlo después. A la gente le gustan los amigos que ayudan".

No elogio: "Ya era hora de que arreglaras tu cuarto".

SIGNIFICADO: Nunca arreglas tu cuarto cuando te lo pido y eso siempre me molesta. Esta vez lo hiciste, pero con seguridad no volverá a suceder.

Si sólo se refiere al hecho de que el niño ha obedecido una orden, no es un elogio, en especial cuando no explica el valor de realizar el quehacer. Y la crítica implícita ("Ya era hora...") significa que tampoco es probable que vuelva a suceder pronto.

Elogio real: "Arreglaste tu cuarto. Se ve muy bien. Me gusta como organizas tus juguetes en un sitio. Me agrada verte ordenando tus cosas".

No elogio: "Obtuviste cuatro buenas calificaciones y una regular en tu informe. Eso está bien, pero tenemos que subir esa nota regular".

SIGNIFICADO: Esas cuatro notas buenas están bien, pero no es suficiente para mí. No estarás a mi altura hasta que tengas sólo las mejores calificaciones.

El elogio que depende de la perfección no tiene valor. Nadie es perfecto, y a pesar de la creencia de los padres de que ponerse metas altas hará que un niño se esfuerce más, eso sólo sirve para confirmar la sugerencia de que nunca será lo suficientemente bueno, sin importar lo que haga.

Elogio real: "Estoy tan orgulloso de que hayas obtenido esas calificaciones tan buenas en tu informe. ¡Caray — cuatro 'Excelentes'!"

———

No elogio: "Me alegra verte compartiendo con tu hermano. ¡Que sorpresa!"

SIGNIFICADO: Eres egoísta. Ya era hora de que empezaras a compartir.

Como se discutió, los niños creen lo que se les dice sobre ellos. Si se les insinúan cualidades negativas, el niño empezará a pensar sobre sí mismo en esos términos. Dígale a un niño que es egoísta con suficiente frecuencia, directamente o bajo el disfraz de un "elogio", y creerá que es egoísta. "Eso es lo que me dicen. Debe ser cierto".

Elogio real: "Me gusta verte compartiendo con tu hermano. Fuiste muy amable al dejarlo montar en tu bicicleta esta tarde".

———

No elogio: "Es bueno ver que no te estás portando mal".

SIGNIFICADO: Generalmente te portas mal. Por una vez no lo estás haciendo. No me he preocupado por notar lo que haces bien, pero no importa, con tal de que no te portes mal.

Este tipo de comentario es tan poco específico, decir lo que un niño no hizo, que no puede considerarse como una reacción positiva al comportamiento. Y ya que nadie se molesta en definir lo que es "no portarse mal", es difícil para un niño saber lo que debería hacer para merecer el elogio de sus padres y, sobre todo, la razón por la que el comportamiento es valioso.

Elogio real: "Me alegró ver que hoy te portaste como un adulto. Dijiste 'por favor' y 'gracias' a las personas que vinieron de visita. Estoy muy complacido".

El elogio sólo funciona cuando envía un mensaje específico y positivo: vi lo que hiciste; me interesaron las cosas que hiciste lo suficiente como para tomar nota exacta de ello; lo que hiciste me agradó; lo que hiciste es un comportamiento valioso.

CUANDO LA VIRTUD NO ES SU PROPIA GRATIFICACIÓN

He encontrado padres que creen que el elogio no es bueno para un niño, o que es algo que debe dirigirse únicamente a niños muy pequeños. Piensan que un niño se debería comportar bien sin estímulo; para ellos es difícil elogiar, incluso cuando se les explica la forma en que el sistema de elogio y el momento propicio para enseñar funcionan. Privan a su hijo del estímulo vital paterno al sugerir, en cambio, que "la virtud es su propia gratificación".

Ésta puede ser una filosofía loable, pero carece de validez en términos de la educación infantil si se comprende que los comportamientos, buenos y malos, se aprenden a medida que el niño crece y no brotan de fuentes innatas dentro de la mente. Lo que va a determinar la forma de actuar de su hijo no van a ser ni demonios ni ángeles, sino el estímulo que se le dé en forma de tiempo y atención hacia ciertos tipos de conducta.

Los niños necesitan que alguien se sienta orgulloso de ellos antes de que puedan desarrollar sentimientos de autoestima. No es ninguna virtud portarse bien los primeros años, si ese comportamiento es poco más que un accidente afortunado y realmente no se sabe todavía qué es la virtud. La "gratificación" de la virtud se da cuando las palabras de refuerzo del elogio externo se internalizan gradualmente en un patrón de carácter de causa y efecto, "Soy una persona valiosa".

"Pero yo no sé como elogiar —decía una madre—. Incluso cuando Ricardo hace algo bien, y yo lo sé, cuando lo elogio suena fingido. Puede que tenga que ver con mi niñez. A mí nunca me elogiaron".

Esta misma madre admitió que ella nunca se valoró a sí misma y estuvo de acuerdo en que vale la pena hacer el esfuerzo de elogiar a Ricardo si esto aumenta sus sentimientos de autoestima. A Ricardo se le estaba dificultando entenderse con otros niños y el elogio estaba destinado a estimular nuevos comportamientos para hacer amigos.

"Funciona —dijo después—. Ricardo es un niño diferente". Pensó un momento y añadió, "Yo también he cambiado. No es tan difícil ver las cosas buenas que hace y decir cuánto me gusta verlo comportarse así. Incluso me descubro haciéndolo con sus dos hermanas, que no tienen problemas de comportamiento, pero se les ve muy satisfechas cuando les doy una palmadita en la espalda".

¿QUÉ TANTO DE ALGO BUENO ES SUFICIENTE?

Otra creencia común entre los padres es que el elogio sencillamente no es bueno para un niño, que llevará al mal comportamiento en vez de al bueno.

"Si digo algo bueno, seguro que algo malo va a pasar —razona un padre—. Así que para no correr riesgos mejor no digo nada".

O: "Es bueno criticar, porque las cosas no se pueden

poner peor, y unas pocas palabras duras pueden ayudar a mejorarlas".

En el primer caso, el mito de "dejar a los muertos tranquilos", está cerca a la idea que discutimos antes, de elogiar la ausencia de comportamiento. También se relaciona con la idea de algunas personas de que cualquier cosa buena tiene su precio, que no hay placer sin dolor. Pero la idea de que la ausencia de elogios no produzca efectos es falsa. Un niño al que no se le elogia no tiene las pautas para saber lo que sus padres consideran valioso.

En el segundo caso, la idea de que la crítica ayuda a mejorar el comportamiento de un niño es probablemente una forma dañina de enseñar algo. Si el elogio le ayuda a un niño a desarrollar una imagen positiva de sí mismo como capaz y valioso, con una gran capacidad de elogiarse a sí mismo, la crítica repetida produce exactamente lo contrario; crea una imagen negativa de uno mismo. Las palabras de crítica se vuelven el lenguaje interno que el niño oye, una afirmación de su falta de valor.

Manuel, de nueve años, siempre se veía negativamente. Sus padres decían que se portaba bien, pero su mala autoimagen era clara en las cosas que decía de sí mismo:

"Nunca me sale nada bien".

"Cada vez que trato de hacer algo, lo estropeo".

Manuel se mostraba cada vez más reacio a participar en actividades en las que el éxito no estaba garantizado. (Por ejemplo, participó en el programa escolar de atletismo porque era mejor corredor que muchos niños mayores; pero no estaba dispuesto a nadar, "porque los otros niños son demasiado buenos para mí".)

"Ve televisión todo el tiempo, no toma ninguna iniciativa", decían sus padres.

Uno no puede fallar viendo televisión; uno no puede fallar siendo pasivo.

"Tratamos de estimularlo para que salga —decía su padre—. Lo elogiamos, pero no surte efecto".

Resultó que parte del problema de Manuel era no sólo que sus afirmaciones negativas sobre sí mismo se relacionaban con un ideal de éxito que significaba hacer las cosas a la perfección, sino también que sus comentarios descalificadores eran reforzados sutilmente por la manera como la gente tendía a responder a ellos. Se le elogiaba, tal como sus padres decían, pero en forma de comentarios de apoyo que estimulaban implícitamente la idea negativa latente detrás de sus afirmaciones. En efecto, recibía palabras alentadoras en respuesta a sus afirmaciones autocríticas.

"Realmente lo hiciste bien, Manuel. Sé que lo puedes hacer así siempre. Sólo que eres demasiado perfeccionista. No te preocupes tanto".

Positivas en sí mismas, las palabras de su madre confirman en buena medida lo que él piensa de sí mismo: la idea del perfeccionista y la sugerencia de que, aunque debería ser capaz de hacerlo bien siempre, puede que no lo logre.

"Incluso cuando siente que ha hecho algo fuera de lo normal —decía su madre—, rechaza cualquier tipo de elogio. Si decimos, 'Lo hiciste bien', contestará, 'Gran cosa', casi como si se dijera a sí mismo, 'Seguro, lo hice, pero el Manuel de verdad no es así'".

Es más probable que el elogio específico, que está asociado a conductas que lo muestran tomando la iniciativa, actuando incluso cuando hay la posibilidad del fracaso, evite los sentimientos de inutilidad de Manuel. Este tipo de elogio indica por una parte que ha hecho algo fuera de lo común y, por otra, que a sus padres les interesa lo suficiente como para ponerle cuidadosa atención a lo que hizo. Así mismo, el elogio no debe referirse a los sentimientos sobre sí mismo que expresa Manuel, como el hecho de que no es suficientemente bueno, pues esto sólo recompensaría sus afirmaciones autocríticas.

Un incidente pequeño pero diciente ilustra la forma en que los padres de Manuel aprendieron a utilizar el elogio para definir su valor, su madurez y su capacidad para participar activamente en los sucesos de su entorno. Manuel, su madre, su padre y su hermana de doce años fueron a comer a un restaurante. En el pasado, cuando Manuel escogía algo y no resultaba lo que esperaba, solía decir, "Ay, nunca escojo bien", o, "Soy demasiado tonto como para escoger algo bueno, hazlo tú". Ese día, cuando la mesera se acercó a la mesa, él ordenó directamente. Fue un momento de madurez que claramente disfrutó, a pesar de que no atrajo la atención hacia lo que había hecho comentándolo más tarde.

Sin embargo, después su madre lo llevó a un lado y le habló sobre la manera en que se había comportado. En otras ocasiones similares ella hubiera dicho, "¿Ves? no tuviste ninguna dificultad en escoger algo para comer esta noche".

Para un niño con una buena opinión de sí mismo ese puede ser un comentario adecuado, debido a que ya sabe hacer cosas de mayores como ordenar la comida sin preocuparse por hacerlo bien. Pero para Manuel, este tipo de elogio es demasiado vago y sólo le recuerda que en otras ocasiones lo ha hecho de una manera que considera "incorrecta".

Un elogio más específico podría ser, "Me gustó la forma en que ordenaste en el restaurante. Fue muy maduro". No obstante, eso no le dice a Manuel nada fuera de lo normal sobre su comportamiento.

Lo que su madre hizo fue recrear la escena del restaurante lo más vívidamente posible. "Me gustó la forma en que ordenaste en el restaurante. Le dijiste a la mesera en una forma muy madura que querías papas a la francesa en vez de un papa cocinada. Luego escogiste lo que querías tomar y el tipo de aderezo para la ensalada. Realmente me sentí orgullosa de ti esta noche".

Frente al elogio específico y positivo, el "Sí, pero..." de Manuel está fuera de lugar. Sus padres le ayudaron a dar un pequeño paso hacia una mejor imagen de sí mismo: hice algo bien, me comporté con madurez, a mi mamá le gustó mi forma de comportarme, me debería gustar la forma en que me comporto.

Sus padres hicieron extensivo este tipo de elogio a todos los comportamientos que indicaban tomar la iniciativa, comportamientos que le daban forma a su vida. Y a medida que lo hicieron, el miedo de Manuel al fracaso disminuyó sensiblemente.

EL COMPORTAMIENTO POR PARTES

Como todos los niños, Manuel inevitablemente hará cosas que no son perfectas. Los padres tienen que escoger entre las conductas que no valoran y las que desean estimular. Lo malo no anula lo bueno. En especial, al tratar de enseñar comportamientos positivos usted debe reconocer tanto lo bueno como lo malo, teniendo cuidado de no darle demasiada atención a lo negativo y suficiente a lo positivo.

Por ejemplo, Juan tiene un accidente jugando pelota. Cinco minutos después entra en la casa y le cuenta a su mamá, "Estaba jugando béisbol y rompí un vidrio de la casa de enfrente".

El comportamiento tiene dos partes:

- Juan rompió un vidrio.
- Fue sincero; le contó a su mamá lo que había hecho.

Para estimular la sinceridad y para mantener abiertas las líneas de comunicación entre padre e hijo, la mamá de Juan puede reprenderlo brevemente por romper el vidrio para indicar que esa conducta no es aprobada. La tentación en un caso como éste es la de armar una escena dramática, recordándole a Juan que se le ha dicho cientos de veces que no juegue pelota en ese lado del patio, que fue descuidado, que no tiene sentido común. Pero esto le da demasiada atención al incidente. Su madre debería pasar mucho más tiempo elogiándolo por su sinceridad al admitir lo que hizo, e indicando que esto es importante para ella, una señal de madurez: que la sinceridad es un comportamiento valioso.

Incluso si después de haber ordenado bien en el restaurante, Manuel derrama la leche por estarse portando mal, las dos partes de su conducta deben verse en perspectiva. De todas formas, Manuel está haciendo algo bien; un comportamiento incorrecto no anula lo bueno. De todas maneras se le debe elogiar.

EL PODER DEL ELOGIO

El elogio es uno de los más poderosos motores de enseñanza que los padres tienen a su disposición. Es un poder que todos pueden utilizar para crear afecto y cariño entre las personas. Funciona entre amigos, esposos, compañeros de trabajo e, incluso, entre extraños.

Al final, el comportamiento que debe ser más estimulado en nuestros hijos es el cariño y la preocupación por los demás. Los vínculos de afecto que resultan de allí son la única fuente segura de lo que más deseamos para ellos, la felicidad.

El propósito del elogio y sus efectos tienen tres aspectos:

- El elogio hace más probable que la conducta elogiada suceda más a menudo en el futuro.
- El elogio aumenta el amor propio del niño.
- El elogio aumenta los vínculos de afecto entre padre e hijo.

Unas pocas palabras adecuadas de aliento, dichas en el momento correcto, pueden tener un fuerte impacto inmediato, pero su mayor efecto es lo que pasa después, mucho más allá de la niñez.

Capítulo ocho

JUEGOS QUE JUEGAN LOS NIÑOS

Todo el énfasis que se haga sobre el valor del elogio — el tipo correcto de elogio en el momento correcto — en la educación positiva de los niños nunca será suficiente. El elogio en sí mismo es una acción positiva, un dar en vez de un tomar, un estímulo más que una descalificación.

Decirles sí a sus hijos es un método mucho más feliz de educarlos que enfrentarlos a un no constante — todos los aspectos negativos de la crítica y los sermones, y la energía desperdiciada en lo que han hecho mal, en vez de utilizarla en aquello que hacen bien y deberían repetir. Sin embargo, a medida que los niños adquieren un creciente repertorio de comportamientos adecuados, probarán los límites de lo que les está permitido. Y si los padres no ven esto con claridad, pueden acabar involucrados en juegos de comportamiento que conllevan un gran peso emocional y con frecuencia los agobian con una gran dosis de culpa innecesaria.

Los padres deben evitar estos juegos de los niños, a pesar de que su impulso natural pueda ser dejarse atrapar en el proceso y justificarse a sí mismos ante sus hijos como lo harían con otro adulto. Participar en tales juegos sería equivalente a decir, "Vamos, dime que no te quiero, o que te sientes deprimido, o que te asustan las cosas, o que eres idiota, o que dices mentiras porque algo te molesta, y yo me sentiré suficientemente culpable por ser parte de ello y emplearé el mayor tiempo posible probando que lo que dices no es así".

Emplear tiempo de esa forma prácticamente garantiza que comentarios como "tú no me quieres" vuelvan a repetirse en un juego progresivo en el que los dos jugadores son perdedores.

Sin embargo, este tipo de conductas y pruebas pueden tener cierta validez en algunas situaciones: un niño sí necesita saber que lo quieren, algunas veces se hace necesario un reclamo. Necesita la respuesta positiva de *un padre*, no un razonamiento de un adulto herido por la insinuación de que no ha cumplido con sus responsabilidades.

"TÚ NO ME QUIERES"

Todo padre ha tenido que manejar en un momento u otro esa forma garantizada de llamar la atención: "Tú no me quieres" o, igualmente efectiva, "tú quieres a María más que a mí".

El escenario es más o menos así:

NIÑA: Tú no me quieres.

PADRE (protestando, ansioso por satisfacerla, incluso culpable): Claro que te quiero. Te quiero más de lo que te puedo expresar. ¿Por qué dices eso?

Varias respuestas como ésa y el niño habrá aprendido cuáles botones oprimir para obtener una recompensa considerable en términos de tiempo y atención, independientemente de si en realidad se siente "no querido". Sin embargo, la afirmación merece una respuesta, sin estimular que se repita por las razones equivocadas (obtener atención).

Todos los padres se sentirán fuertemente tentados a responder con afirmaciones de reaseguramiento en especial cuando se repite el asunto del amor: "Sí, claro que te quiero; sí, tú eres importante". Pero ésa es la respuesta incorrecta porque parte de una premisa falsa e inaceptable. Lo que usted tiene que decir en vez de eso es algo como: "Claro que te quiero y tú lo sabes."

Incluso un niño con un alto grado de amor propio va a decir de vez en cuando, "tú no me quieres". En ocasiones un niño se va a enfrentar a situaciones en las que aparentemente un hermano o hermana son preferidos: el privilegio otorgado a un hijo mayor, un regalo sorpresa, cualquier cosa que parezca inequitativa. Este problema se expresa con frecuencia como "tú no me quieres", pero en realidad significa "no es justo".

La verdad es que ninguna vida es especialmente justa en cuanto a recompensas. Los privilegios no llueven equitativamente sobre todo el mundo externo a la familia — ni siquiera dentro de ella. Pero estimular la idea de que "tú no me quieres" permitiendo que se discuta largamente sobre el asunto una y otra vez, sólo para probar que no es verdad, perjudica tanto al niño como a su relación con los padres. Como lo señaló Shakespeare, contra-argumentar demasiado sugiere la posibilidad de que la acusación sea cierta; la pregunta de si las cosas son justas sugiere que nada es justo y que todo está abierto al reclamo. Más tarde hablaré de los reclamos, en relación con problemas mayores del comportamiento, pero el asunto del amor no es algo que necesite analizarse y defenderse repetidamente.

Un niño que tiene un sentimiento de amor propio que lo hace sentirse valioso no se va a preocupar por mediciones diarias de recompensas y ausencia de ellas como expresión del amor. Él ya sabe que es bueno, que es capaz, y que merece ser amado tanto como la persona de al lado. Un momento de duda es sólo eso, y no una forma de exigir atención de los padres expresando precisamente la frase que con seguridad logrará su preocupación total.

Aprenda a decirles no a estas pruebas, a la exigencia de atención, mientras que le dice sí al hecho de que sí lo ama. Sin discusiones o explicaciones, sin recompensas para probar que usted sí quiere a su hijo. Simplemente, "tú sabes que eso no es así. Tú sabes que te quiero". En algún momento posterior es bueno comunicar seguridad en el amor a cambio de nada, o después de un comportamiento deseado, pero sólo si no existe el riesgo de que pueda ser asociado en la mente del niño con una tácita exigencia previa.

De manera similar, tratar de averiguar *por qué* ha sido usted acusado de negar su amor, le hace el juego a la falsa premisa y es igualmente improductivo. Independientemente de qué tan largo hable sobre el tema, usted no descubrirá las profundas razones escondidas en la psiquis del niño. Lo único que descubrirá es que sucedió algo que no cuadra con la idea que tiene su hijo sobre la manera como deberían ser las cosas.

La forma de mostrarle a un niño que usted lo quiere es tomarse el tiempo de decírselo cuando el niño no esté pidiendo esa afirmación. Por ejemplo, trate de decir, "¿Sabes, Beatriz? realmente te quiero", sólo porque lo siente, sin ninguna razón, o porque la niña ha hecho algo adorable. Y si se siente culpable por la posibilidad de estarle prestando más atención a un niño y menos a otro, nuevamente el tiempo de remediarlo no es cuando el niño lo confronte con ese cargo, sino después, en una situación no relacionada con la exigencia. Así evitará la tentación de discutir el tema y no sembrará la idea de que después de una afirmación que provoca culpa como "tú no me quieres", vendrá un compromiso total de su parte.

EL SÍNDROME DE "SENTIRSE MAL"

¿Recuerda el comentario de Annie Sullivan a la mamá de Hellen Keller sobre el poder potencialmente destructivo del exceso de amor y compasión? Sentirse mal es una respuesta adulta, y mientras algunos padres sienten una especie de culpa cuando el niño comienza a jugar el juego de "tú no me quieres", otros piensan que el niño tiene alguna razón para la acusación debido a algo que ellos han hecho.

"Con el divorcio —me contaba un padre—, ambos hemos tenido miedo de exigirle demasiado a Linda. Le damos nuestro amor para compensarla por la situación por la que está pasando, y pasamos por alto muchas cosas que normalmente no le permitiríamos. Cuando usted dice que eso estimula el comportamiento manipulador, está en lo cierto. Para compensarla por el divorcio le he permitido manipularme".

Los padres de Linda cuentan que han oído de casos en los que los niños de parejas divorciadas terminan odiando a la madre o al padre, y están tratando de evitar que eso pase. Entonces ambos ceden a todo lo que Linda quiere, porque se sienten culpables por haber desintegrado la familia. Quieren que ella los quiera.

Sentir pena y culpa no son buenas formas de responder a las exigencias de un niño. La preocupación que dos adultos puedan sentir por el divorcio, por ejemplo, o por ser padres trabajadores que no siempre están disponibles, no debería otorgarle automáticamente al niño el derecho especial de hacer juegos manipuladores.

Sus padres me describieron a Eduardo como "egoísta, sólo le importan él mismo y sus sentimientos". Usa un lenguaje soez con sus padres y amigos, e incluso golpea a sus padres si no consigue lo que quiere. Sus padres lo describieron como un niño "con muchas dificultades emocionales", y me dijeron que se sentían mal porque el niño parecía tener "problemas".

"Yo le digo que es la persona más importante del mundo —dice su madre—. Me siento tan mal porque tiene tantos problemas emocionales, que lo complazco. '¿Quieres que te traiga una almohada? ¿Qué te gustaría?' Al fin y al cabo es un niñito".

Lo que Linda y Eduardo han aprendido es que hacer que los padres se sientan culpables paga. Las reacciones de los padres les han enseñado que cuando hacen exigencias repetidas, y especialmente si sugieren que no se sienten amados, obtendrán atención y tiempo completos. Se les está recompensando por hacer que sus padres se sientan culpables.

A corto plazo, cuando los padres los reaseguran y les dan lo que quieren porque se sienten culpables, hay una paz corta. Pero a largo plazo, el hecho de sentirse mal y actuar de acuerdo con ello dando la respuesta exigida, sólo significa que el niño aumentará las demandas. El ciclo no parará. Y lo que es peor, el niño llegará a creer que las acusaciones contra sus padres pueden ser ciertas.

Las recompensas por comportamientos que piden cariño o que hacen sentir culpables a los padres tienen otra consecuencia seria: el niño se volverá antipático para usted y para los demás. Éste es un juego sin ganadores. No podemos ceder a la culpa, debemos estimular comportamientos que no jueguen con nuestras propias dificultades emocionales.

"NO LE AGRADO A NADIE"

Algunos niños aprenden a patinar, a montar en bicicleta, a cocinar. Otros aprenden a quejarse. Quejarse es un comportamiento que se aprende como cualquier otro, a pesar de no ser necesariamente del tipo que hace mucho alboroto. Más bien, produce olas que tienen un efecto de largo alcance. El niño que vive quejándose puede molestar a los amigos tanto como si los atropellara o los mandara. El niño que se queja termina sintiéndose tan infeliz como aquél al que no le va bien en el colegio, el que no se entiende con otros niños o el que libra una constante batalla de desafío con sus padres.

Los niños son expertos en el juego de las quejas, a pesar de que pueden ser un poco menos sutiles que los adultos. La mujer que se queja de su marido, el hombre que se queja de su jefe, generalmente tienen una buena historia para contar al comienzo, hasta que los oyentes se aburren de oír la misma letanía de agravios. Los niños, en cambio, se quejan en términos más sencillos:

"Tú no me quieres; nadie me quiere".
"Todo el mundo me molesta".
"Soy tonto".
"No le gusto a mi profesora".
"No le gusto a nadie".

Los padres responden automáticamente a estas quejas con un "Sí, siento la infelicidad detrás de lo que dices y quiero que hablemos al respecto". Es como si una queja planteara la siguiente ecuación básica:

$$\text{Niño} + \text{queja} = \text{niño infeliz}$$

y desencadenara respuestas de reafirmación, comprensión, cariño, preocupación, el deseo de eliminar la infelicidad y de ayudarle a sentirse bien consigo mismo, si sólo pudiéramos encontrar el problema causante de la infelicidad, discutirlo y solucionarlo.

Lo que puede comenzar como una queja legítima (los niños se molestan entre sí, suceden cosas que los hacen sentirse tontos, una profesora exigente puede parecer injusta), con frecuencia se vuelve una forma efectiva de alimentar la necesidad de atención. Vale la pena oír y discutir las dos primeras veces, pero si eso no soluciona la queja, tampoco lo hará la décima vez. En vez de solucionar una queja real, el padre y el hijo le estarán dando a la queja la categoría de problema en sí mismo, un cuento para ser contado una y otra vez, diseccionado y armado de nuevo. Volvemos al mito de "desahogarse completamente", como si hablar sobre los problemas y los sentimientos negativos los hiciera desaparecer.

El gimoteo y el lamento habituales no son más que ocasiones adicionales para decirle no tanto a su impulso como padre de consolar y dar seguridad, como al niño que se queja en busca de la atención que esto genera.

Hablar de ello no hará feliz al niño.

Piense, por ejemplo, en el niño que vuelve a casa y le dice a su papi, "Soy tonto".

"No, no lo eres. Eres un niño inteligente. Mira todas las cosas que puedes hacer bien, puedes armar aeromodelos, te va bien en el colegio, puedes jugar fútbol. ¿Por qué te sientes tonto? ¿Alguien te lo dijo? Dime cuál es tu problema".

La exposición de todas las cosas que el niño hace bien y que prueban lo listo que es suena bastante bien, y representa mucha atención positiva del padre. Entonces volvamos a hacerlo pronto.

Es mucho más valioso en términos de desestimular el comportamiento quejumbroso y estimular un sentimiento de autoestima decir: "No, tú no eres tonto".

El momento de decirle que es listo es más tarde, cuando el niño haya hecho algo inteligente o ingenioso. "Pegaste muy hábilmente las partes de ese modelo de barco, eres un niño listo. Estoy orgulloso de ti".

El niño tiene en sus manos un modelo de barco bien hecho, prueba concreta de que no es tonto, reforzado con el estímulo y aprobación que construyen el comportamiento positivo.

"Todos me molestan".

Usted puede discutirlo con las mejores intenciones del mundo, sabiendo cuánto incomoda ser molestado o dejado de lado, o usted puede poner la queja en las perspectiva adecuada.

"¿Qué pasó?"

"Los otros niños no me dejaron jugar con ellos hoy".

"Eso no es molestar. ¿Por qué no te dejaron jugar?"

"Ya habían escogido los equipos antes de que yo llegara".

"Eso parece justo. Mañana puedes llegar más temprano".

Los niños, como el resto de nosotros, necesitan simpatía y consuelo en los momentos de infelicidad, pero demasiada comprensión, demasiada simpatía, demasiado esfuerzo por convertir la infelicidad en felicidad harán que la queja se repita con casi absoluta seguridad.

Infortunadamente, el niño que, al recibir una respuesta de simpatía por parte de los padres, aprende a quejarse, alejará a otras personas a quienes no les importa si está "feliz" o no. Las personas ajenas a la familia quieren estar con gente comunicativa y afectuosa y alejarse lo más posible de personas quejumbrosas. Y la pérdida de las satisfacciones que los demás nos proporcionan, la falta de las relaciones sociales y el cariño, realmente hacen infeliz a una persona que ahora sí tendrá de qué lamentarse.

Me parece que el niño a quien sus padres bien intencionados, preocupados por su bienestar y demasiado dispuestos a decir sí en vez de no, le han enseñado a quejarse, puede convertirse en un adulto que examina negativamente el mundo, que es pesimista y se "deprime" debido a las satisfacciones limitadas que encuentra en la vida.

Sería mucho más fácil para nosotros y para nuestros hijos si nunca se les hubiera estimulado a encontrar satisfacción en las quejas y a hablar incesantemente de sentimientos negativos. Y es muy irónico que el anhelo natural de los padres por tener un hijo feliz estimule comportamientos que casi inevitablemente llevan en la dirección opuesta.

EL JUEGO DE LA RIVALIDAD
ENTRE HERMANOS

La rivalidad entre hermanos es un juego que posiblemente no exista, excepto en las teorías y en la mente de los padres y profesionales que han sido influenciados por ellas.

Los hermanos no siempre se entienden pacíficamente y, algunas veces, el conflicto es ventajoso por la atención que genera. Si atormentar a un hermano paga, eso continuará sucediendo, pero no debido a algo innato que hace enemigos naturales a los hermanos. Algunos padres creen que la rivalidad entre hermanos es inevitable, la aceptan y viven con ella, sin entender que su aceptación la estimula.

La "rivalidad entre hermanos" es un rótulo que se le ha puesto a un cierto tipo de comportamiento que los profesionales han encontrado fascinante. Debido a que sus teorías están basadas en lo negativo no han acuñado un término como "cariño entre hermanos". El lenguaje desempeña un gran papel en la definición de lo que vemos; tenemos un rótulo para los conflictos entre hermanos, y entonces vemos más fácilmente el conflicto que el cariño y, con la mejor de las intenciones, tendemos a estimular lo que vemos.

El cariño entre hermanos existe. Los hermanos se

cuidan unos a otros, los mayores cuidan a los menores, las relaciones entre hermanos son estrechas durante la vida. Los menores respetan a sus hermanos mayores quienes, a su vez, los protegen. El cariño entre hermanos es un vínculo real y positivo, si los padres se toman el tiempo para verlo y estimularlo. El juego de la rivalidad entre hermanos se da únicamente si los árbitros — los padres — lo estimulan porque tienen la expectativa de que suceda.

A David le gusta molestar a su hermana menor. Cuantas más respuestas obtiene de ella y de sus padres por su comportamiento, más lo hace. No pasa mucho tiempo antes de que su hermana le conteste y antes de que sus padres intervengan. Ellos han oído hablar sobre un problema clásico de la educación, la rivalidad entre hermanos, y éste debe ser el caso. Las veces en que David le ayudó a su hermana a leer un cuento, el día que le enseñó a montar en bicicleta, la vez que le dijo que estaba muy bonita y los días en que la esperó a la salida del colegio para acompañarla a casa se desvanecen y se olvidan.

Sin darse cuenta, los observadores del juego lo validan gracias a su preocupación.

Los rótulos influencian la percepción, lo que vemos y lo que no vemos. Generalmente vemos la rivalidad entre hermanos, pero no nos tomamos el tiempo para mirar el cariño entre hermanos. Los padres de David piensan en el problema siempre que los dos niños están juntos, e intervienen con rapidez cuando el niño molesta a su hermana.

"Deja a tu hermana en paz. ¿Por qué la molestas? ¿No te agrada? ¿Estás celoso de ella? ¿No los tratamos a los dos igual? ¿Crees que la queremos más a ella?"

Expresadas o no, estas preguntas afectan la relación no sólo entre los dos niños sino entre los cuatro miembros de la familia. Todo esto sucede por influencia de las teorías psicológicas que sólo ven lo negativo y que rompen los vínculos de cariño entre hermanos, en vez de construirlos.

CÓMO TRANSFORMAR EN CARIÑO LA RIVALIDAD ENTRE HERMANOS

Durante años, los psicólogos nos han enseñado que la rivalidad entre hermanos es normal. Afortunadamente, eso es un mito. Utilizando métodos muy sencillos, los padres pueden transformar la rivalidad entre hermanos en cariño, un término tan positivo que es ajeno a muchos psicólogos.

Uno debe comenzar este proceso en un momento en el que la rivalidad entre hermanos no esté en funcionamiento. Cuando ocurran conductas de cariño,

apúntelas en una libreta; dos o tres ejemplos a la semana son suficientes.

Luego, entre treinta minutos y varias horas después,
siga la secuencia ABCD:

- A. Lleve a su hijo a un lado, en privado, y
  recuérdele vívidamente el comportamiento pre-
  vio de cariño entre hermanos.
- B. Continúe de inmediato con un elogio al cien
  por ciento, sin mencionar otros comportamientos menos cariñosos del pasado. No diga, "Es
  bueno ver que, para variar, estás siendo amable
  con tu hermana".
- C. Luego dígale la razón por la cual su conducta
  cariñosa es valiosa. "Me agrada mucho verte
  leyéndole a tu hermana y siendo tan cariñoso.
  Esto me indica que realmente estás creciendo".
- D. De inmediato — y de manera casual — com-
  parta entre cinco y quince minutos haciendo
  algo agradable. No diga, "Voy a jugar contigo
  porque fuiste cariñoso con tu hermana". Sólo
  hágalo.

Cuando vea rivalidad entre hermanos, su respuesta
debe ser, ante todo, corta y desapasionada. No trate
de averiguar cómo empezó la pelea, nunca nadie

empieza una pelea. Invertir su tiempo y atención en un incidente de rivalidad entre hermanos sólo estimulará más conductas de este estilo en el futuro.

EL JUEGO DE "DECIR LA VERDAD"

La mayoría de los juegos no se juegan por diversión, sino con el sencillo objetivo de atraer la atención. Algunas respuestas paternas a juegos como la falsedad ("es un mentiroso innato...") pueden tener consecuencias presentes y futuras potencialmente graves. Los niños no nacen mentirosos, sino que aprenden ese comportamiento, con frecuencia para atraer la atención.

Por ejemplo, Daniel tenía varios hermanos, ninguno de los cuales era notoriamente mentiroso. Por otra parte, Daniel, de diez años, era un mentiroso ingenioso sobre casi todo. Cuando su madre hablaba sobre este comportamiento y sobre su preocupación, no podía entender la razón por la cual, entre sus siete hijos, uno era un mentiroso habitual.

"No diría la verdad aunque su vida dependiera de ello. Estoy tan ocupada con tantos niños, y todos resultaron bien excepto Daniel".

Al hablar un poco más de sus hijos, se hizo evidente que su tiempo para cada uno era limitado. Daniel quería más tiempo y lo obtenía: mintiendo con frecuencia y haciéndole gastar tiempo tratando de dilucidar si decía la verdad o no. Su madre tenía que hacer un esfuerzo especial para acordarse de si le había dado las vueltas completas cuando había comprado el pan, o si tenía que quedarse en el colegio después de clases, o si se había ido con sus amigos sin permiso.

Infortunadamente el "problema" de Daniel va en contravía de una vida adulta en la que la sinceridad es un preciado bien, no sólo en intercambios con el mundo en general, sino en las relaciones personales adultas, donde la sensación de poder confiar en otra persona es extremadamente importante.

El juego de la falsedad para atraer la atención es perturbador para los padres y, en el caso de Daniel, fue necesario hacer esfuerzos para ver y estimular las breves instancias de conducta veraz (difíciles de descubrir si los padres tienen la firme creencia de que, probablemente, nada de lo que un niño dice es verdad). Pero en el caso de Daniel, hubo ocasiones en las que devolvió bien el cambio o en las que dijo la verdad, y fue elogiado por eso. Y hubo momentos en los que cayó nuevamente en el juego, pero no obtuvo sino la parte del tiempo de su mamá que le correspondía; en lugar de eso, ella sólo le dedicó tiempo después de los comportamientos que quería estimular.

LAS PESADILLAS DE DORA
Y EL JUEGO DEL MIEDO

Durante semanas Dora, de cinco años, se ha despertado gritando todas las noches, asustada con pesadillas sobre "el gran monstruo" y "el terrible león".

Cada noche sus padres corren a su cama para consolarla y asegurarle que no hay monstruos grandes, ni leones, y que sus miedos son infundados.

Cada noche antes de acostarse pregunta, "¿Seguro no hay ningún peligro?"

"Seguro —le dice su madre—. Las cortinas están abajo, las puertas están cerradas y vamos a dejar encendida la luz nocturna".

Las pesadillas y miedos vuelven a presentarse, y durante el día Dora juega al "juego del miedo", discutiendo sus pesadillas con su madre y con cualquier miembro de la familia que quiera oírla. Por su parte, su madre cree sinceramente que emplear tiempo hablando con ella le ayudará a Dora a expresar sus sentimientos sobre las pesadillas, y contribuirá a encontrar y eliminar cualquier problema que las esté causando.

Sin darse cuenta y con la mejor de las intenciones, con estas largas charlas, la madre de Dora está generando un problema en vez de resolverlo. Le está diciendo a su hija que hay una retribución real por hablar de miedos, monstruos grandes y terribles leones. No sólo la está recompensando por ser el centro de atención día y noche, sino que cuanto más hablan sus padres sobre sus miedos, más permiten que sus miedos la definan y más le comunican que puede haber algo a qué temerle.

De hecho, la madre le está diciendo, "Estoy preocupada por tus miedos; me preocupan tanto que pasaré horas discutiéndolos contigo. Estoy alarmada, y lo que me hace sentirme así son tus grandes monstruos y leones".

Y la respuesta de Dora es: "Si mamá y papá pasan tanto tiempo hablando sobre el terrible león y el gran monstruo, eso quiere decir que deben estar tan preocupados como yo, y entonces el león y el monstruo deben ser reales. Si los adultos están preocupados, entonces yo, una pequeña de cinco años, debo estar más preocupada aún".

Debido a que los padres de Dora le han dicho sí a sus miedos y pesadillas, han quedado atrapados en un ciclo perpetuo de pesadillas y charlas sobre ellas que producen más charlas y más pesadillas, con una buena recompensa para Dora en términos de atención, y frustración, ansiedad y noches de desvelo para sus padres.

Conductas como ésta tienen que originarse en alguna parte. En el caso de Dora, podemos rastrear el origen hasta unos meses antes. Dora tenía un resfriado y fiebre alta. En ese momento, habló de pesadillas y alguien más habló de monstruos. Un poco más tarde, Dora y su madre charlaron sobre un cuento que habían leído en el colegio sobre "el terrible león". Sus hermanos mayores la molestaron diciéndole "el terrible león te va a atrapar".

Entonces una noche, la niña tuvo una pesadilla de verdad, con monstruos grandes y terribles leones, y Dora descubrió que después del susto por las pesadillas, venían la preocupación, el calor y el cariño de sus padres.

Obviamente, se debe consolar y tranquilizar a un niño que ha tenido una pesadilla; no hay duda de que los padres deben ser cariñosos. Sin embargo, debemos distinguir entre consolar a un niño asustado e ir más allá del consuelo, para buscar la raíz del problema en largas discusiones. Tan pronto como los padres juegan al psicoanalista, en sus esfuerzos bien intencionados por comprender el problema, pueden estar estableciendo condiciones para una relación negativa con su hijo, que puede ser tan interminable como el análisis mismo. Pueden estar haciendo una montaña de un grano de arena.

En el caso de Dora, sus padres, en vez de decir no

y ponerle límites a su preocupación por sus miedos, le han enseñado que las pesadillas y los comportamientos relacionados con éstas los acercan y los hacen comprometerse más con ella. Y esos sentimientos crecieron más allá del control de Dora o de sus padres.

¿Es posible enseñarle el comportamiento, detener las pesadillas?

Sí, es posible enseñarle a Dora un tipo de conducta alternativa, que la acerque a sus padres y le demuestre su compromiso y cariño. Necesita aprender conductas que promuevan el crecimiento emocional en vez de las pesadillas, y maneras de acercar a sus padres que estimulen el desarrollo social y, en últimas, los sentimientos de autoestima. Debe aprender comportamientos responsables y maduros — diferentes a sentirse "asustada" por las pesadillas — que le proporcionarán la misma atención que despertarse cada noche gritando.

CÓMO VER A DORA CON NUEVOS OJOS

Los padres de Dora han venido diciéndoles sí a comportamientos inmaduros, dependientes y que atraen atención, excluyendo muchas otras actividades. Deben aprender a decirle no a este juego y encontrar nuevas conductas a las cuales decirles sí. Deben aprender a mirar a Dora con nuevos ojos.

El primer paso es tomar nota de ejemplos específicos de madurez, de comportamientos maduros, responsables e independientes acordes con la edad cronológica de la niña: buscar su propio cereal al desayuno, contestar al teléfono como persona grande, leer un libro sola, pedir algo con cortesía. Cualquiera que sea la motivación, estas conductas son maduras para una niña de cinco años, a pesar de ser breves y usuales. Cuando los padres han aprendido a notar estos comportamientos pequeños y tranquilos, están en posición de utilizarlos para enseñarle a su hija a atraerlos con conductas maduras y positivas, en vez de permitir que una niña de cinco años establezca lo que debe hacerse con comportamientos asustadizos e inmaduros. Y juntos aprenderán nuevas formas de manejar las pesadillas sin estimularlas y sin hacer caso omiso de ellas. En pocas palabras, ellos deben aprender a educar a su hija proporcionándole un mundo distinto, en el cual el sentimiento de autoestima y el comportamiento positivo sean lo más importante.

La siguiente es una lista de los comportamientos maduros y responsables de Dora, que sus padres anotaron en una semana:

- Subió sola a cambiarse de vestido.
- Dijo "gracias" cuando su abuela le dio un regalo.

- Le ayudó a su madre a llevar los platos y los cubiertos a la mesa del patio.
- Contestó el teléfono y tomó un mensaje de una vecina para su madre.

Cada vez que Dora se portaba de una manera positiva y madura, su madre o su padre le hacían no solamente un comentario general sobre su manera de actuar, sino que le decían específicamente qué parte de su comportamiento les agradaba: lo que hizo, lo que dijo y la forma madura en que dijo algo.

"Fue muy maduro de tu parte cambiarte la ropa sola. Me gustó mucho".

"Le diste las gracias muy amablemente a la abuelita cuando te dio el regalo. Me sentí orgullosa de ti por ser tan amable".

"Me gusta cuando me ayudas a poner la mesa como una persona grande".

"Tomaste muy bien el mensaje de la señora Rojas, eso fue muy responsable de tu parte".

Así se siembran las semillas del comportamiento positivo.

Una hora o dos más tarde, la madre lleva a Dora aparte y en la forma más vívida posible le reconstruye lo que hizo antes, el comportamiento maduro que fue tan agradable.

"Llevaste todos los cuchillos y tenedores a la mesa del patio como una persona mayor, y fue de gran ayuda que pusieras la mesa conmigo. Lo hiciste muy bien, estoy muy contenta".

De inmediato y de manera casual, después del elogio, la madre pasa cinco o diez minutos haciendo algo que Dora disfruta: leer un cuento, cantar juntas, sentarla en su regazo para hablar. La madre tiene cuidado de no decir, "te leeré un cuento porque te portaste bien". Esto evita el regateo en el futuro: "Me debes un cuento porque hice esto".

Puede ser sorprendente cuán pronto el elogio específico estimula comportamientos maduros y responsables, como en el caso de Dora. El tiempo y la atención que recibe en ese nuevo mundo, en el que se la mira con nuevos ojos, son tan válidos como la atención inducida por las pesadillas, y mucho más satisfactorios.

A Dora se le ha dado una razón para comportarse de manera positiva... pero ¿qué pasa con las pesadillas? Es tiempo de hacer un esfuerzo por minimizar la atención que se les da.

Ahora cuando Dora se despierta, o habla sobre sus miedos, su madre escucha, dice unas pocas palabras reconfortantes y eso es todo. Ya no hay largas discusiones al respecto, ni recordatorios de que siente miedo ("¿tuviste un mal sueño anoche?"), ni oportunidades de comunicarle a la niña los miedos de su mamá. Si Dora está obteniendo el tipo de compromiso paterno que quiere por comportamientos positivos y un compromiso mínimo por comportamientos negativos, va a reducir su interés en el "gran monstruo" y el "león terrible", y éstos van a dejar de vivir en su mente como lo hacían en el pasado.

La historia de Dora es apenas uno de los cientos de casos en los que los padres han aprendido a enseñarles a sus hijos comportamientos positivos en vez de comportamientos negativos para atraer la atención. En lugar de participar en juegos infantiles — en comprobar qué tan lejos puede ir un niño para llamar la atención —, los padres los han reemplazado por un sistema de estimulación positiva a través del elogio y el tiempo compartido. Ese sistema puede aplicarse a un amplio rango de problemas de comportamiento que se desarrollan, generalmente sin advertirlo, cuando los padres permiten que los aspectos negativos se encarguen del comportamiento.

Si se busca, no es difícil ver lo positivo y es fácil utilizar estas situaciones para enseñar comportamientos que les produzcan felicidad a los niños.

Capítulo nueve

USTED NO TIENE QUE MUDARSE PARA CAMBIAR EL AMBIENTE DE SU HIJO

Un día entre semana, a las siete y media de la mañana, la señora López está en la cocina preparándole el desayuno a Gregorio, de siete años, y a su hermana Patricia, de diez. Como no han bajado aún, está disfrutando de una taza de café y dando gracias porque, hasta ahora, el día ha sido tranquilo. Faltan varias horas para que tenga que salir a su trabajo de medio tiempo. Como sucede a menudo, su esposo está fuera de la ciudad por negocios.

"Apúrense, ustedes dos —llama al piso de arriba—. Se les va a hacer tarde para el colegio".

Patricia baja casi de inmediato, pero Gregorio no aparece.

"¿Dónde está tu hermano?"

"Está jugando en su cuarto", dice Patricia.

"Apúrate —llama su mamá—. Y no olvides tender tu cama". Ella supone que, como de costumbre, el niño se negará.

Cuando Gregorio aparece finalmente, no la desengaña. "No quiero hacerlo —dice como saludo—. No puedes obligarme".

"No empieces —dice su madre—. ¿Qué te pasa hoy? Tú sabes que debes tender la cama".

"No lo voy a hacer. ¿Ésa es la única rosquilla?"

"Sí. Tú y Patricia la pueden compartir".

"No quiero compartirla, la quiero toda".

"Gregorio —dice su madre—, no siempre puedes hacer lo que quieres. Tienes que aprender a compartir".

"No me importa —dice Gregorio furioso—. La quiero". Luego explica en detalle por qué debe ser toda para él.

La señora López siente que se va poniendo furiosa. "Mira, no sé qué te pasa esta mañana, pero si oigo un argumento más..."

Gregorio no espera. Ya está en la puerta, tumbando un asiento a su paso, con un grito de despedida, "¡te odio!"

Patricia recoge sus libros y sale para el colegio dejando a la señora López sola.

EL EXAMEN DE CONCIENCIA

Ella no le agrada a Gregorio, el niño no hace nada de lo que ella le pide, no tiene ni idea de qué es no ser egoísta, su rabia hacia las cosas más triviales la perturba. Por lo menos hoy no se enfrascaron en una de las largas discusiones que generalmente tienen. La señora López trata de entender a su hijo con ahínco, de descubrir qué es lo que tanto le molesta que siempre tiene que portarse de esa manera. Siente que debe de ser porque volvió a trabajar cuando él empezó a ir al colegio, un par de años atrás, y no tuvo la misma atención que Patricia cuando era pequeña. Debería ser capaz de llegar al fondo del problema, pero es imposible. No entiende qué pasa por la cabeza de su hijo, pero está muy segura de que ella tiene la culpa. Gregorio no tiene problemas en el colegio. A sus profesores siempre les ha parecido colaborador y nada difícil. Parece encontrar tanto placer en agradarles a ellos como en pelear con su mamá.

"Estoy convencida de que va a terminar convertido en delincuente juvenil —dice—. Su genio es terrible, y sé que piensa que no me importa. Eso me duele mucho. Simplemente no sé que he hecho para convertirlo en una persona así. Algo le molesta y de alguna manera es mi culpa".

Frente a las frustraciones de manejar un problema de conducta como el de Gregorio, casi siempre un padre diría, "Me culpo a mí mismo, debe ser algo que hice lo que le generó el problema. Veo lo que sucede, pero no entiendo la razón. Si lo entendiera podría ayudarlo, pero como no entiendo, no puedo hacer nada".

Tengo una respuesta para los padres que deciden que son culpables del mal comportamiento de sus hijos, que alzan las manos con desesperación por la culpa y la incapacidad de comprender lo que está sucediendo. Les digo: "Si usted planea cada mañana todas las cosas que va a hacer para que su hijo sea infeliz, para que se porte mal, para que pierda amigos, para que le vaya mal en el colegio o para que sea desafiante, entonces adelante, siéntase culpable, ha ganado ese derecho. Pero si usted ha hecho lo que cree que es mejor para su hijo y no ha funcionado, no hay razón para sentirse culpable y su sentimiento de culpa se vuelve parte del problema. Deberíamos, en cambio, examinar mejores maneras de relacionarse con su hijo".

"No tratamos de hacer sentir infeliz a nuestro hijo —protestará todo padre—. Sin embargo... *algo* está causando un problema".

Volvemos al punto de tratar de erradicar al demonio, lo que está molestando al niño y que se manifiesta como un comportamiento. Un aspecto crucial aquí es la confusa idea que tienen los padres acerca de su realidad. Demasiados creen que la realidad de la situación es la razón psicológica que está detrás del comportamiento. Pero, como hemos visto, es casi imposible develar las razones psicológicas del comportamiento; es imposible entender las situaciones en esos términos.

CÓMO PONERSE EN CONTACTO CON LA REALIDAD...

En lugar de buscar las razones psicológicas para enfrentar nuestra realidad debemos mirar el entorno en el que sucede la conducta, las cosas que la estimulan, buenas o malas. Ha llegado la hora de que los padres den una buena y larga mirada al ambiente que rodea al niño. ¿Está lleno de rabia, frustraciones y sermones sobre el comportamiento? ¿O es un ambiente dónde se reconocen y elogian los comportamientos positivos?

Si usted está dispuesto a dejar de asumir toda la responsabilidad por el comportamiento de su hijo, si quiere comprenderlo de forma que le ofrezca una percepción real y le reporte progresos, deje de buscar significados escondidos y trate de ver qué está sucediendo justo delante de sus ojos. Indudablemente, esto debe incluir un examen de la parte que usted ha desempeñado en crear un ambiente que le ofrece al comportamiento negativo un buen caldo de cultivo para prosperar. Y si sigue sintiendo que debe cargar con algo de culpa, está bien, pero luego trate de hacer un esfuerzo por romper este ciclo de causalidades, de conductas y reacciones, generado por la culpa. Tome distancia y observe objetivamente el comportamiento de su hijo y el ambiente en que éste se desarrolla.

Usted puede corregir lo que no está bien cambiando el ambiente y la forma como se recompensa el comportamiento. Esto puede carecer del encanto y la profundidad de los enfoques psicológicos de la conducta, pero éstos no llevan a ninguna parte. Debemos enfrentar la realidad, y luego reconstruir el ambiente para darle una sensación nueva y positiva.

Pero, desde el principio la madre de Gregorio se preocupa por la realidad bajo la superficie. Quiere comprender.

"No confía en mí —dice—. Le cree a cualquier

persona — sus amigos, su abuelo, su hermana, su padre — antes de creer lo que yo le digo. Generalmente se trata de una tontería. Como, por ejemplo, si Supermán es una persona real. Le digo que no, que es una fantasía, y me dice que no me cree porque un niño dice que Supermán es real. Quiero que sepa que puede confiar en lo que le digo".

Y ¿cómo reacciona ella cuando Gregorio no parece "confiar" en ella? ¿Cuando comienza el día negándose a tender su cama, pidiendo la rosquilla completa y saliendo furioso?

"Me pongo furiosa —admite—. He tratado de hablarle con calma, pero es tan terco que me pongo cada vez más furiosa y termino con ganas de estrangularlo. Simplemente no puedo hablar con él. *No puedo averiguar lo que le molesta. No lo comparte conmigo*".

¿Qué ve la madre?

"Veo a un niño con problemas, que ya no sabe cómo controlar su temperamento, con un gran resentimiento hacia su madre y que no ha desarrollado el cariño y la capacidad de compartir. Veo un problema que podría resolverse si sólo se abriera a mí".

La difundida creencia de que de alguna manera uno debe entender lo que le molesta a un niño para poder comprender su conducta, claramente afecta la forma en que la madre de Gregorio ve a su hijo. Si sólo supiera cuál es el problema que hay en la cabeza de Gregorio, podría ayudarlo a deshacerse de él. Pero, ¿realmente podría? Rara vez los padres que están en esa situación van más allá de tratar de comprender el así llamado problema para resolver con exactitud lo que sucede, la razón de ello y la manera de detenerlo.

...Y DARLE LA VUELTA

La señora López debería estar enfocando a Gregorio, y a su comportamiento, en términos del ambiente en el que tiene lugar: no las mesas y asientos, su desayuno y la rosquilla en disputa, sino lo que en realidad sucede. Luego puede cambiar su propia forma de participar.

Está en la cocina a las siete y treinta preparando el desayuno para Gregorio y Patricia.

Gregorio se niega a tender la cama, como siempre. Sin embargo, esta vez su mamá no discute. No hay nada que esté molestando a Gregory, excepto, tal vez, que no le gusta tender la cama.

"¿Ésa es la única rosquilla?"

"Sí. Tú y Patricia la pueden compartir".

"La quiero toda".

"Si no la compartes, Patricia se la comerá toda. O puede que me la coma yo".

Con seguridad, Gregorio quiere toda la rosquilla y, al mismo tiempo, no le importaría atraer toda la atención disponible. Pero hasta ahí llega el problema. Él no siente que se le pone más atención a su hermana o que su mamá no lo quiere. No se descarrió desde el nacimiento ni sufre de una enfermedad mental. Sin embargo, está dispuesto a buscar la rosquilla y la atención hasta donde se lo permitan.

"Gregorio, no quiero discutir más. Se te va a hacer tarde para el colegio".

Ya está en la puerta, tumbando un asiento a su paso. "¡Te odio!"

"Lo siento", dice su madre. Ella no ha hecho nada para que su hijo la odie, es una madre amorosa. Pero Gregorio aún está tratando de atraer su atención, esta vez con una conducta que busca iniciar un enfrentamiento sobre sus palabras groseras. Como no le funciona, es menos probable que lo vuelva a hacer.

Ésta es una forma de mirar la realidad del comportamiento, en vez de tratar de encontrar lo que le está "molestando" al niño. Si alguien le pidiera analizar la razón por la que actúa de esa manera, Gregorio no tendría ni idea — una situación que, en otras circunstancias, le podría dar a un terapeuta muchos años lucrativos en busca del problema fantasma. Pero los únicos problemas que vale la pena mirar son el comportamiento del niño y qué hacer al respecto. Gregorio ya sabe que si grita el tiempo suficiente, produce suficiente confusión, le produce a su mamá suficiente angustia y rabia, y que ella lo recompensará con atención. Entonces, una solución es eliminar esa gratificación.

El ambiente de Gregorio está formado por respuestas, usualmente negativas, a su conducta negativa, como en la anterior escena de la cocina. Él ha aprendido a comportarse en ese tipo de ambiente, y eso no tiene nada que ver con lo que su madre entienda o no entienda.

Si el ambiente le proporciona recompensas igualmente fuertes por los buenos comportamientos del mismo tipo (digamos, la madurez) como por los problemáticos, ¿no es lógico que el mal comportamiento cambie en la medida en que se acaben las recompensas por el comportamiento negativo? ¿Y no es preferible un ambiente de confianza, cercanía y cariño, que uno lleno de rabia, peleas y puertas golpeadas?

La repuesta en ambos casos es sí. Pero ¿cómo se rehace el ambiente? Eliminando la hostilidad y el desafío, y reemplazándolos por condiciones que estimulen conductas positivas. Pero no espere que unos pocos segundos de elogio cambien las cosas de la noche a la mañana. Uno no puede deshacer de inmediato los patrones que se han generado con horas de atención dedicada a comportamientos negativos.

La situación de Gregorio es un buen ejemplo de cómo una madre amorosa, que se preocupa por su hijo y quiere que él se preocupe por ella, establece las condiciones para la conducta negativa. En un esfuerzo por entender, le pone bastante atención al comportamiento. Como es perfectamente normal, se enfurece cuando su hijo de siete años la desafía. Con suficiente justificación, se enfada cuando él llora y patea los muebles. Como cualquier madre, quiere que su hijo tenga lo que cree que lo hará feliz, ya sea la última rosquilla o ver un programa de televisión. Como todos los padres, quiere que su hijo confíe en ella, e interpreta la negativa de su hijo a creerle como una indicación de falta de confianza. Sin embargo, esas discusiones sobre Supermán no tienen nada que ver con la confianza y sí mucho que ver con el tiempo que ella pasó tratando de convencer al niño de que tenía la razón.

Tomadas en conjunto, todas estas cosas significan que Gregorio es el centro de atención en el ambiente de la casa; cuanto más perturbador es, más atención obtiene. Ha aprendido a portarse de una manera que con seguridad logrará la atención de su madre.

El primer paso para cambiar la tónica en el ambiente es que la madre deje de sentirse culpable por lo que le molesta a su hijo. Ella no hizo nada con la intención de generarle problemas de comportamiento al niño, y sentirse culpable no soluciona nada.

El siguiente paso es tratar de mirarlo con nuevos ojos, observar su comportamiento objetivamente y, en vez de decir que es desafiante, desconfiado y descuidado, aprender a ver exactamente qué es lo que él hace, por ejemplo, de una manera obstinada, qué tipo específico de comportamiento debe ser cambiado. Estos nuevos ojos también deben aprender a ver los fugaces momentos de buena conducta. No simplemente que "algunas veces es bueno", sino que algunas veces "recoge su ropa cuando se lo pido", "deja que su hermana escoja el programa de televisión que vamos a ver" o "se acuesta sin hacer una escena".

Los nuevos ojos reconocerán estas acciones como ejemplos de cariño entre hermanos, de comportamiento estilo Madre Teresa, indicadores de que el niño piensa en las necesidades, sentimientos y deseos de los demás. Él necesita que: (A) se le recuerde el comportamiento más tarde; (B) se le elogie al cien por ciento sin condiciones o vacilaciones; (C) se le diga que esa conducta significa que es maduro pensar en los demás y (D) se le brinde un tiempo especial haciendo algo agradable con uno o ambos padres, inmediatamente después de estos tres pasos.

Los ejemplos de lo que Gregorio hace sin perturbar la paz de la casa — momentos breves, previsibles y aparentemente insignificantes en sí mismos — son las nuevas normas para empezar a rehacer ese ambiente compartido. Tampoco importa la motivación de estos pequeños momentos: que se fue a la cama sin discutir porque estaba cansado, o que de todas maneras no quería ver televisión, o que por alguna razón no lo pensó dos veces antes de recoger su ropa. Lo que importa es que sucedieron. Son momentos de comportamiento tranquilo y valioso, y requieren estímulo a través de la secuencia ABCD.

El estímulo a estas conductas viene en forma de una recompensa, lo mismo que el mal comportamiento era recompensado con una poderosa respuesta de rabia y discusión. La recompensa para el comportamiento positivo y no desafiante es el elogio, junto con tiempo y atención. Cuando eso empieza a suceder, una pequeña parte del ambiente cambia; Gregorio está obteniendo lo que quiere sin pagar el precio de ser un monstruo y experimenta momentos de sentirse bien y valorado — momentos propicios para enseñar, en los cuales él está escuchando, oyendo lo que su madre tiene que decir sobre lo que le agrada, y lo que considera un comportamiento valioso.

Parece que los momentos desafiantes, por lo menos

desde el punto de vista de Gregorio, son una señal de independencia y de que está creciendo, a pesar de tener una forma negativa en vez de positiva. "No puedes obligarme" se traduce en "soy un niño grande, no tengo que escucharte". ¿Cómo puede su mamá estimularlo a ser verdaderamente independiente sin fomentar al mismo tiempo los gritos? ¿A ser maduro sin lágrimas? ¿A ser responsable sin tirar puertas?

La respuesta es que ella debe tomar nota de todas las veces, sin importar que sean breves, en que el niño hace cosas realmente maduras y responsables. Y luego debe elogiarlas, hacer que valgan la pena, darle a su hijo una razón para repetirlas, en vez de repetir aquellas conductas perturbadoras que tanto la afligen.

Es fácil hacer una lista de los momentos comunes y tranquilos y de las acciones específicas y concretas que reflejan el tipo de comportamiento que los padres quieren ver todo el tiempo: comportamientos que expresan los valores abstractos que este hogar y estos padres consideran importantes para sus hijos.

Entonces, si Gregorio ayudó a entrar las bolsas de víveres a la casa, uno podría decir "Y ¿por qué no? Él también come aquí". Pero ése es un comportamiento cuidadoso y cariñoso, y no importa que la verdadera razón por la cual ayudó es que quería saber si su mamá había comprado el tipo de helado que a él le gusta; su motivación no es relevante. Lo importante es que son conductas que valen la pena, y la madre toma nota de ello.

Una, dos o más horas después, la madre de Gregorio lo lleva a un lado, en privado, mientras su hermana ve televisión o hace su tarea, y le dice: "Hoy me ayudaste a entrar todas esas bolsas de víveres. Eso fue muy amable y responsable, me agradó mucho. Me gusta cuando te portas con madurez".

La madre de Gregorio está calificando el comportamiento como valioso; le agrada verlo portarse con madurez. El comportamiento estilo Madre Teresa demuestra que está pensando en las necesidades, sentimientos y deseos de otras personas; las conductas centradas en los demás son señales reales de madurez, y ella las está elogiando. Y en ese momento, Gregorio no va a responder con un "no", o un acceso de llanto. Va a escuchar aquellas palabras que construyen su imagen propia como la de un niño mayor. Su madre es lo suficientemente consciente como para no decir algo por el estilo de "es agradable verte ayudando, para variar". Gregorio no necesita que se le recuerde su frecuente comportamiento difícil.

Rápida y casualmente, coincidiendo con el elogio, la mamá propone que hagan algo juntos que sabe que el niño disfrutará. Puede tratarse de cinco o diez minutos hablando sobre su proyecto de ciencias o sobre los aciertos de su equipo de fútbol en el campeonato local. Puede que jueguen o que miren un programa de dibujos animados. El tiempo agradable con mamá crea una atmósfera totalmente diferente, en comparación con aquellos momentos menos agradables en los que hay desafío por un lado, y furia por el otro, sin ninguna comunicación de valores. Ahora hay una nueva sensación en el ambiente y es sorprendente lo rápido que los niños reconocen y responden al cambio.

La madre de Gregorio tiene cuidado de no decir ni dar a entender que va a jugar con el niño porque se portó con madurez. No se hacen convenios a cambio del buen comportamiento. La realidad debe ser más sutil, la conexión debe darse entre la acción y el elogio. La "recompensa", el juego y el tiempo juntos, refuerzan el elogio; no lo reemplazan.

En caso de que Gregorio exprese la idea, "estás jugando conmigo porque ayudé con los víveres", su madre no debe confirmarlo. Puede decir simplemente, "¿sabes?, me siento bien cuando me ayudas".

Se ha añadido el elemento del elogio a un hogar donde antes era escaso, y no porque a la mamá de Gregorio no le importara o no quisiera elogiarlo, sino porque el tono del antiguo ambiente estaba dado por el conflicto entre la madre y el hijo. Se necesitó un

esfuerzo adicional de parte de la madre para ver los
pequeños momentos de comportamiento tranquilo y
positivo que con demasiada frecuencia se veían
opacados por la batallas entre ellos.

FRENTE AL DESAFÍO

Los comportamientos desafiantes de Gregorio son
su manera de llamar la atención, probando que es un
niño mayor, a quien no se le puede decir lo que debe
hacer. La única manera de cambiar esos comportamientos es ayudándolo a tener una sensación interna
de que es más valioso cuando actúa de una manera
más madura. Cuanto más positivamente se vea a sí
mismo, menos razones tendrá para ser desafiante.

Empiece por llevar un diario, sin decírselo. Haga
una lista semanal de cuatro a seis ejemplos específicos
de las siguientes clases de conducta madura: cariño
entre hermanos; asumir la frustración con calma; comportamientos estilo Madre Teresa (ver en el capítulo
6, descripciones y ejemplos). Anote esas conductas
aunque sean breves, comunes, y predecibles, e incluso
si el niño las hace todo el tiempo. Luego siga la secuencia ABCD, entre treinta minutos y siete a ocho
horas después de cada conducta específica (ver el
aparte "Comunicando valores", en el capítulo 5).

CÓMO BUSCAR ASPECTOS POSITIVOS

En el curso de una semana, siempre hay de tres a cinco incidentes que reflejan la conducta que debe estimularse. La inversión en tiempo de elogio y unos pocos minutos de actividad agradable es realmente pequeña. Pero las consecuencias pueden ser altamente gratificantes tanto para el padre como para el hijo. El niño busca más de esos momentos que lo hacen sentirse bien y que construyen su amor propio; y el padre está ayudando a construir un nuevo ambiente emocional, que lo acerca al niño y contribuye a incrementar los sentimientos de calor y afecto entre padre e hijo.

Debe hacerse énfasis en que este método de elogio y gratificación no es un enfoque manipulador para producir cambios en el comportamiento. Una diferencia importante con el enfoque antiguo es que es obviamente consciente, mientras que las condiciones que producían el comportamiento negativo eran en gran parte no intencionales. La madre de Gregorio no se percataba de la relación que había entre las rabietas para llamar la atención y el tiempo y la respuesta que ella les daba; estaba enfrascada en la preocupación por su culpa, la falta de cariño de Gregorio, sus sentimientos de que a él no le importaba, etc. Funcionar sobre la base de percepciones del comportamiento y sobre consecuencias permite un enfoque mucho mejor de la relación que trabajar en la oscuridad. La madre de Gregorio está modificando su propio comportamiento con miras a mejorar el de su hijo, y cambiar el ambiente común. Bien sea que lo hagan conscientemente o por impulso, todos los padres tienen una gran influencia sobre sus hijos. En este caso, el resultado original fue la estimulación accidental de la conducta negativa. Pero cuando la madre se dio cuenta de su error, desplazó sus gratificaciones de tiempo y atención hacia el comportamiento que ella consideraba valioso.

Todo lo que este método hace es recordar a los padres de niños con dificultades de conducta cómo utilizar un enfoque paso a paso para estimular el comportamiento positivo. Es un esfuerzo consciente por parte de los padres, pero en la medida en que el niño aprende pronto que no necesita del estímulo verbal constante ya que sabe que sus padres son conscientes de lo que está haciendo, los padres crean el hábito del elogio y el estímulo y éste se vuelve casi automático — sin listas, sin tiempo agradable planeado, sólo respuestas espontáneas a lo que el niño hace bien.

ENTRETANTO...

Aunque la madre de Gregorio comenzó a estimular el comportamiento maduro y a canalizar el desafío y el deseo de ser independiente de su hijo hacia áreas positivas, todavía tuvo que manejar lágrimas, puertas golpedadas y discusiones cuando no se hacía lo que él quería; los viejos patrones no se diluyen por arte de magia en un par de semanas. No podía seguir dejando que hiciera lo que quisiera, pero ahora podía manejar mucho más inteligentemente tales momentos, minimizando la atención dada al comportamiento negativo.

Mucho antes de aprender a manejarlo, la madre de Gregorio siempre había sido consciente de que con frecuencia cedía demasiado rápido sólo para tenerlo callado. Había tratado de no ceder siempre, pues sabía que esto fomentaba en él la noción de que si la presionaba el tiempo suficiente, terminaría saliéndose con la suya. Pero incluso cuando Gregorio no triunfaba, siempre tenía la opción de gritar y llorar y obtener atención cuando su madre trataba de averiguar qué le molestaba. Cuando aceptó suponer que nada le pasaba, y que el negarse con firmeza a ceder a las exigencias del niño no iba a empeorar su problema hipotético y podría contribuir a cambiar su comportamiento difícil, el esfuerzo para decir "no" fue mucho menor.

"No, no puedes hacerlo a tu manera esta vez, y no lo vamos a discutir más".

Inicialmente, casi cualquier niño con la historia de Gregorio va a redoblar los esfuerzos para salirse con la suya, y durante un tiempo el llanto y la furia aumentarán. Al fin y al cabo, este tipo de comportamiento ha funcionado antes, y ahora que ha encontrado resistencia decide apretar un poco más con la esperanza de obtener la antigua respuesta. Pero si no pasa nada, y al mismo tiempo hay una corriente constante de elogio por aquellas cosas que el niño hace, que son agradables a los ojos de su mamá, el comportamiento negativo se vuelve cada vez menos productivo.

Obviamente, es difícil para un padre cariñoso ver a su hijo desear algo con tanta fuerza que lo hace reaccionar de una manera que interpretamos como infelicidad. Y, obviamente, es natural que un padre se ponga furioso o se moleste en una discusión frente a frente con un niño dispuesto a salirse con la suya. Pero, de nuevo, la única respuesta que sirve es negarse a entablar una discusión o una disputa, y que esa negativa sea tan firme y breve como sea posible.

Una razón muy real de por qué el método descrito aquí para cambiar el comportamiento de un niño ha resultado tan efectivo en preadolescentes, es que nos estamos moviendo en un ambiente limitado y las fuentes primarias de elogio y estímulo son el hogar y los padres. Cuando el niño entra en la adolescencia y la edad adulta, el medio se amplía para incluir el mundo exterior, donde se suma la presión de sus pares y la de otros adultos que desempeñan diversos papeles. Pero en los preadolescentes, las influencias externas son, por lo general, sólo sus condiscípulos y profesores. En ese momento crítico de la vida, los padres tienen más influencia sobre la calidad del ambiente del niño — y mayor oportunidad para ejercer influencia por el bien de éste — que la que ellos o cualquier otra persona volverá a tener jamás.

Capítulo diez

LOS NIÑOS SIN AMIGOS: CÓMO CULTIVAR LA INTELIGENCIA EMOCIONAL

Nada es más inquietante para los padres que la falta de amigos de un hijo. ¿Por qué un niño es muy popular con los amigos y condiscípulos, mientras que otro tiene la misma aptitud para ahuyentarlos? ¿Por qué algunos niños se relacionan invariablemente con los demás en formas que con seguridad producen hostilidad: son mandones y exigentes, comienzan peleas, son egoístas? Esos niños que Goleman describe como "desincronizados", que se relacionan con los demás en una forma que genera incomodidad en vez de amistad y que son incapaces de expresarse en el lenguaje de los sentimientos. ¿Por qué algunos niños parecen retroceder hacia rincones alejados y se niegan a hacer esfuerzos para relacionarse con otros?

"¿Acaso no todos los niños quieren tener amigos? —me preguntó un padre—. ¿Acaso Carlos no ve que todo lo que hace garantiza que nadie va a querer volver a nuestra casa, si puede evitarlo?"

Aprender a hacer amigos, incluso a muy temprana edad, es una conducta como cualquier otra. Se enseña cultivando las semillas de comportamientos amistosos y florece en la medida en que las satisfacciones que brinda el hecho de tener amigos ofrecen sus propias recompensas. Infortunadamente, si se estimula el comportamiento equivocado, incluso de la manera más inadvertida, también se pueden desarrollar los comportamientos que hacen perder amigos.

Los padres pueden tardar en notar el desarrollo del problema; es más fácil culpar a los otros niños, atribuir la falta de amigos a la timidez o anular incidentes con la excusa "los niños son niños". Y cuando se hace evidente que el niño sencillamente no tiene amigos, el primer pensamiento de los padres es conseguírselos.

"Lo enviamos a un campamento durante un mes para que hiciera nuevos amigos —decía una madre sobre un niño con quien nadie quería estarse—. Lo odió, porque incluso allí nadie quería ser su amigo".

Poner a un niño que aleja los amigos en contacto con otros niños, no va a hacer que haga amigos; sólo le traerá más enemigos. A un niño se le tiene que enseñar cómo ser amigo.

"SU PEOR ENEMIGA: ELLA MISMA"

Los padres de María, de diez años, decían: "Es muy infeliz porque, cuando trata de relacionarse con otros niños, ella misma es su peor enemiga.

"Nos preocupamos mucho por las cosas que hace, y que la van dejando solitaria y sin amigos. No sabe jugar; siempre quiere hacerlo a su manera. Algunas veces es definitivamente antipática y ya nadie quiere venir a jugar; y nunca la llaman para que vaya a jugar con otros niños.

"Empezamos a pensar que María tenía algún profundo problema psicológico, porque nosotros dos tenemos muchos amigos. Nos gusta estar con otra gente y creo que a ellos les gusta estar con nosotros. Sé que María sólo tiene diez años, pero la imagen que veo de ella en el futuro es la de una persona excluida de todo lo que la vida ofrece, usted sabe, la chica que se queda en casa la noche del baile de graduación porque nadie la invita. Y luego empezamos a pensar sobre lo que hemos leído acerca de los niños que, cuando llegan a la adolescencia, caen en las drogas y cosas como ésa porque es la única manera que tienen de relacionarse con otras personas. Esos niños son perdedores y nos angustia ver a nuestra niña de diez años como una perdedora desde ahora. No sabemos qué hicimos para que esto pasara.

"Se nos cruzó por la mente que si sólo *actuara* distinto no tendría problemas con los amigos, pero ¿qué más podíamos hacer? Creíamos que la habíamos educado bien y nos sentíamos completamente desorientados sobre qué hacer, salvo llevarla al terapeuta que podría encontrar lo que la perturbaba.

"El terapeuta nos dijo que descifrar los problemas de María podría tardar años. Bueno, en lo que a nosotros concernía ella no tenía mucho tiempo. Queríamos hacer algo que funcionara ahora mismo, ayudarle a tener amigos antes de que fuera demasiado tarde".

El método que he descrito le ayudó a María, con el elogio y el estímulo de sus padres, a construir un comportamiento amistoso. Le ayudó a actuar de manera diferente, tal como querían sus padres, y atrajo hacia ella, lenta pero seguramente, niños de su misma edad.

"Hice una lista —dijo su madre—, anotando las veces que hizo cosas para acercarse a los demás de manera positiva y me avergüenzo del poco esfuerzo que yo había hecho antes para ver las cosas buenas de María. Por ejemplo, es maravillosa con su hermanita, que es cuatro años menor. Excepto cuando se pone testaruda y voluntariosa, *siempre* dice 'por favor' y 'gracias'. Supongo que era tan de esperarse que lo hiciera, que nunca le pusimos mucha atención. También había otras cosas que nunca habíamos aprendido a ver y a estimular. El vecinito tenía una pierna fracturada, y el primer día que salió, María le ayudó a caminar con sus muletas. Creo que simplemente estaba fascinada con la idea de las muletas, pero le agradó que la lleváramos luego a un lado y le dijéramos que ayudarle a alguien de esa manera es lo que la gente quiere en los amigos. Y al día siguiente estuvo afuera con él, ayudándole de nuevo.

"Poco después mi hermana, que vive en otra ciudad, vino a quedarse con nosotros un par de días, y trajo con ella a la prima de María, que es un año menor. Las dos niñas parecían entenderse bien. Al comienzo María la clasificó más como un huésped que como una compañera de juego y se comportó bien. Eso nos dio una buena oportunidad para llevarla a un lado y expresarle nuestro placer ante las cosas concretas que hacía con su prima, y para establecer la conexión entre esos hechos y lo que la gente quiere en los amigos".

"Perseveramos con el plan de elogio, estímulo y tiempo compartido en actividades agradables para María, y en un tiempo sorprendentemente corto vimos un cambio real en ella. Debido a que les había causado disgustos a tantos niños del colegio y del vecindario, no hizo muchos amigos de inmediato. Pero gradualmente uno o dos empezaron a venir con regularidad. ¡Qué alivio para nosotros y para María!".

MÁS ESTÍMULO A TRAVÉS DE SUGERENCIAS

Los padres de María también le ayudaron a fortalecer algunas de las habilidades sociales que necesitaba para hacer y conservar amigos. Le dieron apoyo adicional por su comportamiento positivo a través de sutiles impulsos o sugerencias que le ayudaban a estimular los comportamientos amistosos existentes, y le proporcionaron nuevas habilidades adicionales del mismo tipo.

Las sugerencias pueden ser útiles, pero deben ser breves y poco frecuentes, de manera que no terminen como regaños paternos. Una o dos veces a la semana, su madre le sugería de manera casual que trajera amigos a casa: "¿Por qué no llamas a Nancy y la invitas a jugar Monopolio?" O "¿no te gustaría invitar a Tina a almorzar hoy?"

Si María no se interesaba en la sugerencia, no se decía nada más al respecto. Si respondía a la insinuación y llamaba a la otra niña, su madre podía llevarla más tarde a un lado y recordarle lo que había hecho.

Recordatorio: "Fue agradable que invitaras a Nancy a jugar Monopolio".

Elogio: "Respetaste los turnos muy bien. Me gusta verte haciendo cosas como ésa, como una buena amiga".

Tiempo agradable: "Saquemos las bicicletas y démos una vuelta por el vecindario".

Las sugerencias, si son sutiles, cortas, adecuadas y poco frecuentes, pueden ser una forma efectiva de juntar a los niños de manera que los que son como María tengan la oportunidad de utilizar y aumentar su comportamiento amistoso. Los padres pueden ver las oportunidades y estimular al niño a tomar la iniciativa con otros niños.

CÓMO REGISTRAR LOS COMPORTAMIENTOS TRANQUILOS

Cuando conocí a los padres de Elvira, su madre me dijo, refiriéndose a sus relaciones con otros niños: "Se lleva bien con los niños, pero no tiene amigos de verdad".

Con el objeto de mejorar el contacto de Elvira con sus condiscípulos, tanto dentro como fuera del colegio, propuse estimular los comportamientos que los harían querer estar con ella y buscarla como amiga. Con la ayuda de sus padres, hicimos una lista de las conductas específicas de Elvira que deberían recompensarse, tales como, compartir los estilógrafos y lápices, respetar los turnos durante un juego, reírse del chiste de un condiscípulo, decirle a una niña que le gustaba su saco, darle las gracias a un compañero, preguntarles a otros estudiantes sobre sus planes para las vacaciones, dar un regalo adecuado, ayudarle a un compañero con un problema de matemáticas y entablar conversaciones animadas. Hice énfasis en la importancia de concretar, de describir con exactitud lo que Elvira había dicho o hecho cuando la elogiaran por una de estas conductas.

Acordaron anotar dos o tres ejemplos cada semana con las advertencias usuales: *aunque sean breves, comunes, predecibles; aunque sean cosas que hace todo el tiempo, y sin importar la motivación ni lo que sucedió antes o después.*

Les recordé que buscaran ejemplos comunes, no necesariamente extraordinarios, de estas conductas. En los momentos en que observaran tales comportamientos, los padres debían tener en cuenta concretamente lo que había hecho y dicho la niña y, de una a seis horas después, según su conveniencia, debían llevarla a un lado y tratar de revivir la situación describiéndola gráficamente. Luego le dirían lo que la conducta significaba para ellos — por ejemplo, "es el tipo de cosas que a la gente le gusta en los amigos" — y de inmediato la elogiarían. "Ése fue un comportamiento realmente maravilloso y nos enorgullece mucho que seas tan buena con las necesidades de los demás".

Un par de veces a la semana, *de manera casual e inmediatamente después*, pasarían entre cinco y diez minutos con ella, charlando sobre algo que le gustara o realizando una actividad que los padres supieran que ella disfrutaba. Lo harían como si la idea se les acabara de ocurrir en ese momento, y no porque "como hiciste tal y tal, te permitiré hacer esto o aquello".

Decirle a Elvira que había jugado bien o que parecía entenderse con Juan cuando jugaba por la mañana, probablemente no estimulará comportamientos de compañerismo. No le dice lo que necesita saber sobre las conductas específicas, tales como compartir algún objeto o escuchar lo que el otro niño dice, lo cual contribuye a establecer buenas relaciones.

De nuevo, el momento propicio para enseñar se da

inmediatamente después de las palabras de elogio. Si los padres quieren comunicar valores e ideales importantes para ellos, es mejor hacerlo inmediatamente después de los elogios por conductas que representen incluso pequeños ejemplos de valores, tales como la sinceridad o relacionarse con éxito con un chico de la misma edad— "Ésa es la clase de cosas que a la gente le gusta encontrar en los amigos".

LOS AMIGOS Y EL COLEGIO

Obviamente, el lugar en el cual los niños están más en contacto con otros niños es el colegio. Interactúan en el patio de juegos y en el salón de clases cinco días a la semana, y es allí donde se hacen amigos o se pierden las oportunidades de entablar una amistad. Con frecuencia las profesoras ven con mayor claridad que un niño tiene dificultades para hacer o mantener amigos. Ven al niño solo en el recreo, ven que es el último escogido para intregrar un equipo. Pueden ver cómo actúa en el salón de clases y por qué los demás niños no quieren relacionarse con él. Algunas veces profesores y padres pueden trabajar juntos para ayudarle a un niño a aprender comportamientos amistosos y a desestimular los comportamientos que alejan a los demás.

En muchas ocasiones Pablo, de ocho años, demuestra su deseo de acercarse a otros niños. A veces lo hace de manera positiva, y otras veces no, y entonces Pablo se queda en una especie de limbo en relación con los otros niños.

"Con frecuencia trata de agradarles a sus compañeros —dice su profesora—, pero a veces se sobrepasa. Anticipa las necesidades de los otros estudiantes, les ofrece lápices y reglas y otras cosas, antes de que se las pidan. Es bueno para matemáticas y, por consiguiente, siempre está ofreciendo ayuda para explicar los problemas".

Sin embargo, Pablo es un solitario; los demás no lo buscan.

"Lo he visto andando a la deriva por el patio de juegos como un alma en pena", dice su profesora.

"Sencillamente parece no tener muchos amigos; es un solitario", dicen sus padres

"Creo que eso es lo más difícil para Pablo —dice su profesora—. Hace un gran esfuerzo por acercarse a los otros niños ofreciéndoles ayuda y sus útiles, y tal vez por un instante se crea un vínculo entre ellos. Pero luego invariablemente da media vuelta y echa todo a perder. Hace algo que prácticamente garantiza que nadie quiera ser su amigo".

Resulta que Pablo hace cosas para hacerse notar. Es

un chismoso, dice su profesora, y recuerda varias ocasiones en las que ha causado algún tipo de conflicto, diciéndole a un niño "presumido" porque atravesó la cafetería con una niña, o llamando "estúpido" a otro por cometer un error en clase.

El niño que ha sido objeto de los chismes de Pablo o aquellos a quienes les pone apodos, definitivamente se acercan a él. No permitirán que pase inadvertido. De manera similar, el niño o la niña a quien Pablo le ayuda con las matemáticas, a quien le presta su regla, tampoco lo va a pasar por alto.

Pablo necesita aprender nuevas formas de acercarse a los otros niños, pero no porque estén furiosos con él o por sus ocasionales gestos de generosidad, sino de una manera duradera y constante.

El objetivo fundamental es ayudarles a niños como Pablo a aprender las conductas que hacen que otros niños los quieran tener como amigos: enseñarles a romper el hielo de una forma adecuada, a acercarse y luego a aprender comportamientos que mantienen las relaciones. En el caso de Pablo, tanto la profesora como los padres hicieron el esfuerzo siguiendo el método ya esbozado.

La profesora observó ejemplos de conductas adecuadas, para usarlos como base para el elogio y el estímulo sin importar que fueran breves, predecibles y comunes, e independientemente de la motivación y de lo que hubiera pasado antes o después. Por ejemplo, poner apodos no anula una conducta adecuada para hacer amigos que suceda antes o después. Ya hemos hablado de las ocasiones en las que Pablo ayudaba a sus compañeros con las matemáticas o les prestaba un lápiz, pero la profesora aprendió a ver otros comportamientos amables.

"En clase, Pablo respondió a algo que otro de los niños dijo con un comentario que los hizo reír a todos, reír de verdad".

Después, cuando la profesora llevó a Pablo aparte, fue elogiado por su buen sentido del humor y se le recordó que a la gente le gusta tener amigos que la haga reír.

Durante la hora de actividad artística, Pablo le ofreció un par de marcadores de colores a un niño nuevo que acababa de entrar a la clase. Cuando la profesora elogió a Pablo por su generosidad, también le explicó que su comportamiento hacia el estudiante nuevo le había ayudado al niño a sentirse cómodo, y que ésa era una buena forma de hacer amigos.

En el colegio, las recompensas que siguen al elogio y la comunicación de valores durante el momento propicio para enseñar son cosas como: llevar un mensaje a la oficina del rector, encargarse ese día de las

plantas o los animales del salón de clase, tener permiso
para hacer una actividad independiente o, si la profesora tiene tiempo, hablar durante varios minutos sobre
algo que le interese al niño.

En casa, los padres también siguieron el método
para estimular comportamientos amistosos y, cuando
Pablo empezó a responder al elogio y a acercarse en
forma más positiva a los amigos, utilizaron las sugerencias. El niño nuevo fue invitado a jugar por sugerencia de la madre, y los dos se divirtieron mucho.
Más tarde, ella le recordó a Pablo específicamente lo
que había hecho bien, y cuánto le había agradado. El
elogio y los pocos minutos que ella y su hijo pasaron
juntos haciendo algo que al niño le gustaba, ayudaron
a Pablo a construir su imagen de buen amigo y a que
valiera la pena seguir comportándose amistosamente.

"SIMPLEMENTE ES TONTO"

La profesora veía a Norman como un niño que realmente alejaba a los amigos. Sus padres lo rotularon
como "tímido". Sin embargo, el comportamiento tímido es generalmente interpretado por otros niños como
rechazo, y a nadie le gusta estarse con alguien que lo
rechaza.

¿En qué forma concreta alejaba Norman a quienes se le acercaban? La profesora hizo una lista de ejemplos.

Era retraído. Por ejemplo, al entrar en el salón de clase tendía a no hablar con otros estudiantes, permanecía agachado y era muy callado y poco lanzado.

Rechazaba las propuestas de amistad. Cuando Beatriz le ofreció su borrador, lo rechazó con brusquedad diciendo: "No lo necesito". Cuando un niño le preguntó si le gustaba la caricatura que había dibujado, Norman no contestó, como si sencillamente no supiera qué decir en esa situación.

Algunas veces era exigente. Cuando se le voló un papel del pupitre, en vez de levantarlo él mismo, dijo: "Recógemelo".

La profesora, y los padres en casa, utilizaron con Norman sugerencias sutiles para estimular las habilidades sociales que ayudan a hacer amigos, puesto que el niño parecía no saber qué decir ni qué hacer en situaciones que comúnmente conducen a la amistad.

Por ejemplo, la profesora hizo un esfuerzo especial por decir, "Buenos días, Norman", cuando llegaba al salón de clase. Es poco probable que un niño como Norman (o cualquier otro niño) imite siempre la cordialidad de la profesora, pero de esa manera ella puede presionar un poco y decir: "Mañana, cuando llegues a clase, y alguien te salude, ¿por qué no le contestas saludando?"

Cuando Beatriz le ofrezca su borrador y Norman conteste, "no lo necesito", la profesora puede sugerirle una manera de responder: "Beatriz hizo eso porque le caes bien. Recibe el borrador y dale las gracias". Cuando el niño le pregunta su opinión sobre la caricatura y Norman no responde, la profesora puede insinuar con suavidad, "Le caes bien, por eso pide tu opinión".

Luego, cuando Norman responda a una sugerencia sutil (y no deben ser tan frecuentes que se vuelvan molestas; a nadie le gusta la regañadera), su profesora y sus padres tendrán un comportamiento amistoso positivo sobre el cual podrán empezar a construir, con la ayuda del elogio, el estímulo y el tiempo agradable compartido.

Al ayudarle a un niño a aprender conductas que acercan a los otros niños en vez de alejarlos, es de nuevo importante recordar que el cambio de los viejos patrones no es instantáneo. Un niño no va a conseguir un montón de amigos de la noche a la mañana. No va a superar la timidez en seguida; tiene que aprender primero, a través del elogio y el estímulo, que él es una persona valiosa con quien los demás quieren estar.

Las conductas negativas no surgen de la noche a la

mañana de la mente consciente de un niño de seis años; tampoco lo hacen el tipo de comportamientos que involucran a otros niños. Las amistades, incluso entre personas jóvenes, requieren de pequeños gestos atractivos y cuidadosos para construir vínculos de afecto y cariño. De la misma manera, también se necesitan pequeñas acciones negativas para alejarlas. Los padres deben estar enterados de lo que sucede cuando ven a sus hijos sin amigos y, una vez que empiecen a estimular conductas positivas para hacer amigos, tienen que creer en el proceso que se está desarrollando de manera silenciosa, poco a poco, y que vale la pena el esfuerzo.

El comportamiento hacia los amigos en la infancia es algo que acompaña a una persona de por vida. Tener amigos refuerza la idea de que "soy una persona que vale... porque las personas del mundo exterior quieren estar conmigo". Qué lástima que un niño se vea privado de ese tipo de satisfacción debido a que no se le haya dado la suficiente importancia, tanto dentro como fuera de la familia, a aquellos comportamientos que expresan la preocupación y el interés por los demás.

La felicidad de su hijo no es un asunto de suerte, sino de ser conscientes de lo que sucede en la vida del niño y de cómo su conducta está construyendo o destruyendo la imagen que tiene de sí mismo y la imagen que los demás tienen de él.

El niño que se siente sin valor, no elogiado o, peor aún, fuertemente criticado, puede encontrar satisfacción al retraerse y ser tímido, de manera que su imagen quede protegida de mayores daños.

El niño agresivo y exigente andará por la vida llamando la atención de los demás de forma inadecuada.

El niño que tiene amigos va a sentirse bien consigo mismo y será un niño feliz.

Capítulo once

¿QUÉ SIGNIFICA SER GRANDE Y MADURO?

Nuestro papel como padres es educar a nuestros hijos desde la cuna y orientarlos hacia la edad adulta con un repertorio de comportamientos útiles y de habilidades sociales que reflejen nuestra propia experiencia, creencias y entendimiento.

Cuando los hijos llegan a la edad adulta, se espera que sean individuos independientes, capaces de salir al mundo y sobrevivir felizmente en él, y que a su vez querrán educar a sus propios hijos para que sean seres humanos independientes, capaces de encontrar satisfacción en el mundo... y así sucesivamente. La marcha de las generaciones lleva nuestros valores y actitudes, y los de nuestros antepasados, a través del comportamiento de nuestros descendientes, generación tras generación.

¿QUÉ ES UN ADULTO?

Todos los padres saben que crecer no es un proceso fácil, pero muchos de nosotros también sabemos que no siempre es necesario que esté lleno de confusión y crisis. Es cuestión de comprender, definir y luego estimular lo que realmente significa ser adulto. Debido a que nuestra sociedad no tiene un rito universal de iniciación para la transición de la niñez a la edad adulta, tenemos la tendencia a definir la madurez en términos de autorizaciones y privilegios concretos, como conducir un auto, usar maquillaje, tener citas amorosas, tener permiso para votar o para beber. Una de las razones por las cuales nuestros hijos se meten en problemas es porque definimos la transición en términos de comportamientos que no podemos llamar necesariamente positivos.

Todos hemos oído de niños que definen la madurez como ser duros, violentos, destructivos y poco cariñosos, así como hemos oído de adultos que transmiten su llamada madurez siendo astutos, autoritarios, fríos, despreocupados y cínicos. Sin embargo, cuando se les pregunta a los padres sobre lo que desean ver en sus hijos como representativo de ser adultos, la gran mayoría hace énfasis en los valores sociales positivos de confianza en sí mismos, cariño y responsabilidad.

Tomadas en conjunto con los rasgos negativos que también definen el ser adulto para algunos, estas características abarcan ambos extremos del espectro de opciones de la infancia. Los padres no pueden esperar que sus hijos se decidan automáticamente en favor de una visión de la madurez más amable, gentil y responsable, debido a que la presión de sus pares, los periódicos y la mitad de las cosas que ven en televisión los incitan a lo contrario. La conducta adulta verdadera debe enseñarse tanto con palabras como con el ejemplo de acciones de los padres que manifiesten independencia, cariño y responsabilidad.

Con este propósito en mente, nunca será demasiado temprano para estimular dos clases de comportamiento. La capacidad de asumir con calma la frustración es al mismo tiempo una habilidad fundamental para salir adelante, y una señal importante de madurez. La otra conducta puede ser el cariño entre hermanos o el comportamiento estilo Madre Teresa — aquellas actitudes que muestran respeto por las necesidades, los sentimientos y los deseos de las otras personas. Hace algunos años, se publicó un libro muy popular para padres llamado *The Hurried Child [El niño que va muy rápido]* que alertaba a los padres sobre el peligro de arrebatarles la infancia a sus descendientes al forzarlos a volverse adultos pequeños. Sin embargo, muy por el contrario, alimentar la capacidad de manejar la frustración con calma y la de ser cuidadosos con los intereses de los demás sólo aumentará la riqueza y la satisfacción de la niñez y pondrá una base sólida para la exitosa vida adulta que vendrá.

"¡NO PUEDES OBLIGARME!"

Las semillas de la independencia existen desde muy temprana edad, con el primer paso del bebé, con el orgullo de aprender a amarrarse los zapatos o a vestirse solo. Y esta clase de conductas maduras e independientes son por lo general elogiadas y estimuladas. Sin embargo, infortunadamente en las etapas hacia la independencia total de los padres, no todos los comportamientos independientes son igualmente elogiados, o incluso reconocidos. Y al crecer, con mucha frecuencia los niños expresan su necesidad de independencia en formas inadecuadas.

Ninguno de nosotros transita el camino hacia la edad adulta, especialmente las partes llenas de baches, a una velocidad constante o de una sola zancada. Los esfuerzos normales y naturales de un niño para afirmar independencia pueden darse o bien a pasos gigantes, con notorios tipos de comportamiento positivo, o bien en formas pequeñas, menos notorias pero de todas maneras positivas. La voluntad de ser independientes de los padres, de ser personas autónomas, puede expresarse a manera de desafío, en afirmaciones que aparentemente dicen, "no voy a hacer eso, no puedes obligarme", y que significan, "soy grande, ya no puedes decirme qué hacer".

Es posible que lo más importante de crecer sea resolver la tensión entre padre e hijo en la búsqueda de la independencia. Pero algunas veces la tensión se sale de control y se intensifica hasta volverse una guerra abierta entre hijos y padres, y los acontecimientos toman un curso improductivo e innecesario.

Esto se complica adicionalmente con la desafortunada moda de pensar que los niños que desafían a sus padres están perturbados por algo; su actitud desafiante se considera un síntoma de problemas internos que deben ser descubiertos y resueltos, a pesar de que el mismo proceso se repita de innumerables maneras a nuestro alrededor en el mundo natural. El polluelo que picotea el huevo para salir o la mariposa que surge de su capullo están ganando su libertad y su fuerza por medio de la lucha. El comportamiento desafiante hacia los padres y otros adultos que tienen alguna autoridad sobre los niños es una expresión de la necesidad de individualidad e independencia.

Sin embargo, como con todo lo demás, hay límites para lo que es aceptable o incluso tolerable. No se puede hacer caso omiso de los niños que son excesiva o constantemente desafiantes, y si su lucha ha de enseñarles algo, debe incluir un reconocimiento de las consecuencias.

"Mi hijo va a ser un delincuente juvenil". Un padre se preocupa cuando un niño desafiante tira las puertas con furia o cuando se intercambian palabras rudas que parecen decir, "¡Voy a salirme con la mía, te guste o no!" En ocasiones, las luchas por ser independiente se desvían tanto que las palabras son reemplazadas por actos peligrosos o destructivos.

UN ASUNTO DE ENFOQUE

La mayoría de las veces el proceso de individuación se vuelve problemático cuando los padres empiezan a centrar su atención en donde no deben. Se concentran en las acciones o palabras que los preocupan, dejando pasar los demás aspectos de la vida de su hijo, y es ahí donde empieza el desplome. La única forma en la que los padres muestran que están escuchando es a través de expresiones de furia, frustración y dolor.

El niño no está necesariamente contento con el resultado porque, a pesar de que no siempre pueda poner el dedo en la llaga, su comportamiento está generando el tipo equivocado de autonomía. Pero, ¿qué le vamos a hacer? Esto es un espectáculo y el espectáculo debe seguir, entonces el niño continúa probando los reflejos de sus padres empujando continuamente los límites. Y en el proceso de luchar por satisfacer y a la vez refutar el juicio que sus padres tienen de él, lo único que está aprendiendo es el hábito del desafío.

Para algunos padres, la frase "mi hijo está creciendo" tiene matices más sutiles, de otro tipo. Un niño que crece les recuerda a los padres que los años pasan y que muy pronto el niño será adulto e independiente y que su vida cambiará. La mayoría de los padres sí quieren ver a sus hijos volverse adultos maduros y responsables; su resistencia ante lo inevitable puede hacerse menos dolorosa o más satisfactoria al asegurarse de que la edad adulta sea definida de una manera que incluya los atributos reales de la madurez: responsabilidad, cariño, preocupación por los demás, independencia y vínculos de afecto duraderos entre padres e hijos, que no se rompan por el solo hecho de que el niño entró en el mundo adulto. Parte de nuestra función como padres es preparar a nuestros hijos para la edad adulta. Y si les enseñamos correctamente, no los perderemos.

No obstante, hay momentos de prueba, de dar a entender que "ya no soy un niñito, ya soy grande". El tire y afloje en una casa, a medida que los niños crecen hacia la independencia, puede crear tensiones que algunas veces son terribles. El asunto es no hacer que el desafío valga la pena en términos de su retribución negativa, que puede ser extremadamente dañina para los sentimientos de autoestima del niño y los vínculos de cariño entre padres e hijo. La salida tampoco es ceder al desafío, lo cual, de hecho, le permite al niño salirse con la suya.

En el caso de Gregorio hemos visto cómo a muy temprana edad, un niño había aprendido a salirse con la suya presionando hasta el punto en que su madre, desesperada, le daba lo que pedía. Infortunadamente, esto sucedió no sólo una vez sino otra y otra, hasta que esa conducta aprendida se arraigó profundamente en él y el aprendizaje de nuevos comportamientos positivos requirió mucho trabajo de todos los miembros de la familia.

¿QUE EL PAPÁ SABE LO QUE ES MEJOR? PUES LOS NIÑOS SABEN MUCHO MÁS

Por sí solos, los momentos de desafío pueden parecer triviales. Los padres quieren una cosa: lo que consideran mejor para sus hijos. Pero los niños quieren otra porque piensan, "yo sé lo que es mejor. Soy suficientemente grande para tomar mis propias decisiones".

"Quiero ir en bicicleta al centro para visitar a Jorge", dice un niño de nueve años.

"No puedes, es demasiado peligroso. Cuando seas mayor..."

"Pero yo conozco el camino; soy cuidadoso. Soy suficientemente grande".

Puede que de todas maneras este niño saque su bicicleta y vaya a donde su amigo, lo que garantiza otro momento desagradable cuando sea descubierto. Quizás no vaya, pero pase toda la tarde discutiendo, utilizando el tipo de insistencia que recibe una respuesta exasperada, furiosa, impaciente, pero de todas maneras una respuesta.

Kathy dice: "Quiero gastar el dinero que mi abuelita me regaló en mi cumpleaños; ella me dijo que podía".

"Tienes que ahorrarlos —dice la mamá—, o yo te compro algo con ellos".

"Pero si son míos, tengo ocho años, yo sé lo que quiero".

"No eres tan grande como para decidir".

La mamá piensa que actúa de forma razonable, mientras que Kathy piensa que la están tratando como a una niña. El resultado son dos personas infelices, cada una decidida a hacer su voluntad, con Kathy más decidida que nunca a probar que es grande. Sin embargo, su forma de probarlo no será necesariamente positiva, sino que se expresará en términos de desafío.

"¿Por qué no me puedo acostar tarde? Ya soy grande".

"No, no lo eres. Vete a la cama ahora".

"No lo haré, y no puedes obligarme".

La continua discusión hará del desafío a la hora de dormir un acontecimiento esperado, una batalla regular que consume tiempo y es desagradable.

Éstas son pequeñas disputas, en las que el niño trata de ejercer influencia y probar que es grande de una forma que en realidad no tiene nada que ver con ser maduro. Si se siguen repitiendo día tras día, establecen tipos de comportamiento incluso más negativos, que pasan por ser maduros y que tienen resultados destructivos de largo alcance. En los casos mencionados, se debe considerar si vale la pena decirle que no a un niño con respecto a lo que está tratando de afirmar: "Soy grande, soy una persona autónoma".

Si montar en bicicleta es en realidad demasiado peligroso, decirle que no es suficiente pues los padres deben preocuparse por la seguridad. Pero si Carlos es un niño cuidadoso, ¿cuál es el sentido de dejarlo probar que puede ir a la casa de Jorge y volver con seguridad? ¿Es realmente importante que Kathy aprenda el hábito del ahorro con su regalo de cumpleaños? ¿O se le debería permitir mostrar qué tan grande es al escoger algo en la tienda? Si es hora de acostarse, entonces es hora de hacerlo. "No puedes obligarme" es un comentario que no merece una respuesta, ni argumentos. Si el niño no se acuesta, no lo hace, pero la atención por no acostarse debe ser mínima.

Cuando Juan, de doce años, baja en la mañana a la cocina, ya está atrasado para iniciar su ruta de repartición de periódicos, y demasiado tarde, según afirma, para desayunarse antes de salir.

"Siéntate y cómete el desayuno", dice su padre.

"No tengo tiempo. Me comeré unos huevos revueltos cuando regrese, si tengo tiempo antes del colegio".

"Vas a desayunarte ya y no vas a volver a ensuciar la cocina más tarde".

"Ay, papá, no puedo. Tengo que entregar los periódicos".

"Has debido pensar en eso cuando te quedaste hasta tarde en cama".

"Simplemente me quedé dormido un rato y no tienes que estar diciéndome qué hacer".

Lo que el padre le está diciendo a Juan es, "Eres un niño, tengo que supervisar todo lo que haces y vas a hacer las cosas a mi manera".

Lo que Juan le está diciendo es, "Soy lo suficientemente grande para tomar mis propias decisiones sobre cuándo comer y sobre la forma en que me voy a encargar de mis responsabilidades, como la ruta del periódico".

Es una discusión sin importancia, pero si sucede todos los días, y si nadie reconoce las capacidades de Juan para ser mayor e independiente, capaz de tomar decisiones solo, sus sentimientos de autoestima se verán disminuidos. No se verá como una persona independiente y valiosa, sino como alguien de quien su padre piensa que no puede hacer nada por sí mismo. Aunque puede ser verdad que el padre de Juan esté molesto por su hábito de dormir hasta tarde, y de retrasarse para el desayuno y la ruta del periódico, esto no amerita una discusión y menos una batalla. Los padres deberían aprender a elegir las batallas que vale la pena dar y a evitar verse arrastrados hacia aquéllas que no valen la pena.

También es importante señalar que las pequeñas disputas habituales contribuyen al proceso de desarrollar fuertes sentimientos de rabia hacia los padres que se resisten a ver a su hijo crecer. Si la tensión continúa, con el tiempo Juan tratará de estar con su padre lo menos posible. Es el comienzo de una reacción en cadena, que involucra a la madre de Juan de un lado o del otro, y al niño tratando de probar una y otra vez, de formas que bien pueden ser inadecuadas, que es una persona independiente. Bajo estas condiciones, una persona "independiente" puede ser para Juan la que desafía a sus padres y se queda fuera hasta tarde, o aquélla que nunca llega a las comidas, o que se la pasa con chicos que definen la independencia de la misma manera y se meten en problemas por ello. Es mucho más productivo y valioso estimular comportamientos que realmente sean maduros e independientes. Los hijos de todos modos van a crecer y los padres tienen la responsabilidad de enseñarles, desde los primeros años, aquellos comportamientos que indican madurez real y responsabilidad.

UNA VISIÓN ASISTIDA

En el caso de Juan, tanto la madre como el padre deben ayudarle a aprender a sentirse bien consigo mismo como ser humano autónomo, independiente y responsable. Deben estimular aquellas conductas que le confirmen que es lo suficientemente grande para tomar sus propias decisiones sobre cuándo comer y cuándo entregar los periódicos. Los padres tienen que aprender a ver las cosas *específicas* que Juan hace, y que demuestran madurez y sentido de responsabilidad, y luego estimular ese tipo de comportamiento con su elogio y aprobación.

Por ejemplo, Juan se levanta cada mañana para hacer su ruta del periódico. No importa que su padre diga, "yo tuve una ruta de periódico cuando era niño, todos los niños lo hacen", o que Juan lo haga sólo para ganar dinero para comprar una bicicleta nueva, o por cualquier otro motivo. No importa que lo venga haciendo hace meses, y que ahora sea tan rutinario que nadie lo piensa dos veces, que sea una actividad esperada de su parte.

Sin embargo, lo que *sí* importa es que es un trabajo maduro y responsable. Juan necesita que se lo recuerden con elogios, comunicándole la idea de que asumir un trabajo, manejar dinero, responder por él a tiempo, hacerlo incluso si el clima es malo o si tiene algo mejor que hacer, todo eso indica madurez real.

Hay muchas ocasiones en las que el esfuerzo en pro de la madurez puede o pasar inadvertido o ser reconocido y estimulado. Cuando he trabajado con padres sobre este problema del desafío y les he mostrado que es una expresión del deseo del niño de ser independiente y autónomo, es sorprendente la lista de comportamientos positivos maduros que se les ocurren, cosas que han aprendido a ver con sólo prestar un poco más de atención:

Le ayudó a su padre a pintar la cerca.

Trató de comer espárragos por primera vez.

Le dio de comer al perro.

Cerró las ventanas durante una tempestad mientras yo no estaba.

Llegó a la casa a la hora exacta que había prometido.

Trajo del colegio los libros de un amigo que estaba enfermo.

Las conductas responsables deben ser recompensadas con un elogio como forma de enseñarles a los niños pequeños los comportamientos que usted valora. Y recuerde que el niño a quien se le hace sentir bien consigo mismo por portarse de una manera madura y responsable, tiene más probabilidad de convertirse en el adolescente que, enfrentado a un mundo mucho más amplio, vuelve a casa a tiempo de una cita, comprende las responsabilidades de conducir con cuidado, sabe cómo juzgar las decisiones que debe tomar en situaciones fuera de la casa y refleja los valores positivos que los padres han tratado de enseñarle, en vez de la autonomía e independencia falsas que con frecuencia toman la forma de conductas desafiantes.

EL CARÁCTER, EL DESTINO Y LOS MARSHMALLOWS

Crecer con éxito depende de habilidades que son muy diferentes al simple hecho de obedecer los deseos de los padres. Las recompensas por la obediencia están bastante cerca de las recompensas por la ausencia de comportamiento — el niño a quien se elogia por nada en absoluto: "Eres tan juicioso, no sabía que estabas allí". No queremos enseñarles a nuestros hijos a ser robots, así como tampoco queremos que no produzcan ninguna ola. Un ser humano que simplemente dice sí a todo puede que no tenga conflictos, pero tendrá muy pocas gratificaciones reales de la vida en el mundo exterior.

Algunas veces, las mejores recompensas en la vida pueden llegar con sólo decir no. Un caso pertinente tiene que ver con un grupo de niños de cuatro años que fueron sometidos, hace algún tiempo, a un estudio que trataba el antiquísimo problema de la tentación. Afortunadamente, en este caso el objeto deseado no eran las drogas, o el cigarrillo o el alcohol, sino los marshmallows.

Lo que los investigadores estaban buscando eran indicios sobre las características de la personalidad infantil relacionadas con la capacidad del sujeto para obtener recompensas a través de la gratificación postergada. Para los adultos, la gratificación postergada puede relacionarse con cosas como no comprar un auto nuevo hasta que pueda pagar por lo menos una cuota inicial; no tener relaciones sexuales hasta después de obtener el consentimiento de su pareja y esperar hasta ganar los suficientes puntos para unas vacaciones reales, antes de hacer efectivo su plan de viajero frecuente. Para los niños del estudio significaba un acuerdo de doble o nada de golosinas.

El investigador se reunía por separado con cada niño, y luego decía que tenía que salir del cuarto para hacer una diligencia rápida. Antes de salir, dejaba un marshmallow sobre la mesa como regalo. Al niño se le decía que si se lo quería comer podía hacerlo de inmediato; pero por otra parte, si quería esperar hasta después de la diligencia inventada, cuando el investigador volviera le daría otro marshmallow y podría comerse las dos. La única forma de obtener el segundo era esperar.

Unos pocos niños ni siquiera esperaron a que el investigador saliera. Algunos sufrieron unos segundos o incluso algunos minutos antes de hacerse al premio de la mesa y se lo metieron en la boca. Otros libraron una batalla heroica por el autocontrol, haciendo todo lo que se podían imaginar para evitar perder la recompensa: examinarse los zapatos, caminar en círculos alrededor de la mesa, retorcerse las manos, mirar al techo. No se trataba de a quiénes les gustaban los marshmallows y a quiénes no. Se trataba de quién podía controlar su apetito y posponer la satisfacción de los deseos inmediatos a cambio del doble de la recompensa más tarde.

Para los psicólogos que hicieron el estudio, así como para algunos de los niños que participaron, la gran retribución vino más tarde. Varios años después del experimento inicial, los investigadores retomaron a los niños que participaron en el estudio, los cuales ya estaban por graduarse de secundaria. Lo que encontraron fue que aquéllos que habían mostrado el mayor control al impulso cuando tenían cuatro años, todavía estaban utilizando esas mismas habilidades como adolescentes, y todavía cosechaban las recompensas. Eran

mucho mejores estudiantes, mejor adaptados social-
mente, mejor centrados en metas a largo plazo y
mucho más decididos que sus pares que habían opta-
do por atrapar el pájaro en mano.

Las evaluaciones no fueron sólo subjetivas; los niños
que habían esperado la recompensa obtuvieron un
asombroso puntaje de 210 puntos más en sus exámenes de aptitud escolar, que sus afanadas contrapartes.

El control del impulso no es un instinto y hasta
ahora no hay mucha evidencia de que esté impreso en
nuestros genes. Sin importar cuál sea nuestra herencia,
no hay duda de que en gran medida es una de aquellas
cosas que aprendemos de nuestros padres y, como
cualquier otra habilidad social, la aprendemos bien,
moderadamente bien, poco o casi nada.

Los padres exitosos saben cómo enseñar a controlar
los impulsos. Demuestran las habilidades en la casa y
en el trabajo y las estimulan en sus hijos enseñándoles
a tomar la frustración con calma (ver capítulo 6).

La mayor parte del tiempo, cuando vemos a un
niño que no puede controlar su temperamento, bien
sea porque su caso ha salido en el periódico o porque
está sentado frente a uno en la mesa del comedor, es
porque sus padres no le han mostrado la manera de
hacerlo.

Enseñar conductas independientes y responsables

significa darle a su hijo una forma de comportarse en el mundo que le permitirá manejar los problemas y retos de la adolescencia y la vida adulta, para ser una persona menos influenciable por los demás debido a que ha interiorizado un conjunto de valores fuertes, que guían su comportamiento y le ayudan a tomar sus propias decisiones.

Y podrá recoger algunos marshmallows en el camino.

Capítulo doce

TAREAS QUE ENSEÑAN... RESENTIMIENTO

¿Cómo le enseña uno a su hijo el sentido de la responsabilidad, ese atributo tan importante para la madurez?

Ser responsable es una forma de comportamiento muy valorada tanto en el mundo adulto como en la vida en familia, y la capacidad para asumir la responsabilidad es algo que se aprende en el proceso de crecimiento, si al niño se le enseña de manera adecuada.

La responsabilidad y la confiabilidad son, con mucha frecuencia, las cualidades más importantes de las personas con las que uno se relaciona.

"No es un tipo muy amistoso —dice la gente—, pero hace su trabajo".

"No es una persona a quien uno se puede acercar fácilmente, pero se puede confiar en ella".

Con mucha frecuencia, la persona que tiene un sentido de responsabilidad reconocido por los demás es alguien a quien se quiere tener cerca. Una persona en quien uno puede confiar es alguien a quien uno quiere tener como amigo. Los personajes pícaros, encantadores y poco confiables de la ficción y de la vida real son memorables, pero pocos padres quieren que sus hijos sean así.

La enseñanza del comportamiento responsable comienza temprano. La responsabilidad, como la felicidad, está sujeta a muchas interpretaciones. No debería significar conformidad o sumisión. Y no es sencillamente un asunto de completar una lista de tareas, a pesar de que muchos padres parecen sentir que ésa es la forma de enseñarles responsabilidad a los hijos.

LAS TAREAS Y EL CONFLICTO

Realizar tareas — una necesidad muy común en muchas casas — no es la manera de enseñarle responsabilidad a un niño, en especial si la exigencia del quehacer toma la forma de una batalla.

La frase "Jovencito, vas a hacer este trabajo te guste o no, y no tienes opción", no contribuye mucho a la relación entre padres e hijos. Es más probable que sea una de las ocasiones en las que el niño use su terca negativa para desafiar a los padres y mostrar cuán independiente es.

De hecho, he encontrado que los padres que tienen hijos con los mayores problemas de comportamiento son con frecuencia los que les ponen un mayor número de tareas.

"Eso les enseña a ser responsables — protestan con rapidez esos padres —. Así aprenden".

Sí, pero ¿qué aprenden? Aprenden que su padre ha decidido los quehaceres que deben realizar, y que si no los hacen pueden verse enfrentados a una prolongada disputa, a la furia, la exasperación, e incluso a algún tipo de castigo.

Con frecuencia, tales padres saben que hay algo que no está del todo bien en el sistema que han tratado de imponer a la familia, así no sea sino porque les piden a sus hijos que hagan trabajos que ellos mismos no disfrutan especialmente. Algunos, no todos, admitirán, por lo menos a ellos mismos, que repartir quehaceres es una forma de lograr que el trabajo se haga. Y si sienten algo de culpa por la cantidad de tareas que imponen, vuelven al argumento de la "responsabilidad".

"Todo el mundo tiene que aprender a hacer cosas que no le gustan".

"¿De qué otra manera le puedo enseñar a Leonardo a ser responsable si no le pongo trabajos?"

Es como si lavar el piso, sacar la basura o arreglar un cuarto de acuerdo con una programación habitual contribuyera de alguna manera a preparar a un niño para volverse adulto. Sin embargo, el mundo está lleno de personas que cuando niñas nunca tendieron las camas, podaron el césped, ni secaron los platos y, a pesar de ello, se convirtieron en adultos responsables. Pongo como ejemplo mi propia infancia, que nunca se vio opacada por un solo quehacer asignado.

Un resultado seguro de programarles tareas a niños que se resisten a esta idea, es tener hijos resentidos con sus padres y que entablan constantes discusiones sobre la razón por la cual no hicieron los trabajos. No hay nada malo y hay muchas cosas buenas en que un niño contribuya al trabajo de la casa. Muchos niños ayudarán de manera espontánea porque quieren imitar a sus padres, o porque otras formas de estimular la responsabilidad para el bienestar de la familia los impulsan a realizar tareas menos placenteras. Si esto se da pacíficamente, maravilloso. Sin embargo, si para lograr que los niños hagan su parte usted entra en un campo de batalla permanente, puede estar pagando un precio demasiado alto para que sus hijos cuelguen la ropa, pongan la mesa o devuelvan los juguetes a su sitio.

El precio que usted puede estar pagando es la tensión inmediata que se produce para lograr que la tarea se haga y la consecuencia, menos aparente y a largo plazo, será estar criando un niño que querrá alejarse de la casa lo más pronto posible.

La señora Ortega me hizo un relato de las dificultades de su situación, criando cinco hijos entre los once y los diecinueve años. Había enviudado hacía poco, cuando el menor tenía siete años, y volvió a trabajar de tiempo completo como dietista en un colegio.

"Tengo que recurrir a los niños para que hagan los quehaceres —dijo—. Sencillamente no tengo tiempo de lavar la ropa, limpiar la casa, lavar los platos y cocinar, y también hacer mi trabajo. Ellos tienen que ayudar. Obviamente, antes de la muerte de su padre les poníamos tareas. Desde pequeñas cada una de las niñas tenía sus labores en la casa y los niños también ayudaban. Pero, incluso entonces, nunca dejaron de resistirse a cada paso del camino. No podíamos hacerlos entender que tendrían que hacer ese tipo de cosas cuando fueran grandes, de manera que era bueno que aprendieran a asumir responsabilidades desde temprano.

"La situación se me ha salido de las manos y ahora tratar de que hagan los quehaceres nos está haciendo desagradable la vida a todos. Y me siento culpable de que no tengan padre y de que yo tenga que estar ausente gran parte del día".

La señora Ortega tenía listas por todas partes, diciendo quién tenía que hacer qué y cuándo, y casi cada elemento de esas listas representaba una escena o un conflicto potencial.

El problema no era que necesitara ayuda en el manejo de la casa y no la estuviera obteniendo. El problema era que ella estaba confundiendo los quehaceres con la responsabilidad y pagando un precio demasiado alto, en términos de la destrucción gradual de los vínculos entre ella y sus hijos, sólo por lograr que las tareas se hicieran. El hecho de hacer los trabajos en sí mismo no es un comportamiento adulto, pero comprender la razón por la que deben hacerse sí lo es. La señora Ortega estaba mirando las listas en vez de mirar a sus hijos.

"He perdido a mis dos hijas mayores —dijo—. Ambas están comprometidas o cercanas a comprometerse. Todavía viven en la casa, pero uno no lo pensaría a juzgar por el tiempo que pasan aquí. Están mucho más cerca de los familiares de sus prometidos que de nosotros. La más joven hasta cocina en la casa de ellos, y la mayor acude a la mamá del muchacho en busca de consejos sobre la boda".

¿Y qué pasa con los tres hijos menores?

"Bueno, sí, aún los tengo haciendo sus quehaceres, y a las dos niñas grandes también, cuando logro que los hagan".

¿Tiene problemas con los menores?

"Usted sabe cómo son los chicos, es una lucha constante hacer que saquen la basura y que asuman sus turnos en el lavado de la loza. Sí, creo que se podría decir que lograr que hagan los quehaceres implica algún tipo de pelea. Nadie los hace de buena voluntad".

¿Será que la señora Ortega es consciente del precio que ha pagado al asignar tareas con el propósito principal de fortalecer el carácter de sus hijos? ¿Dos hijas haciendo grandes esfuerzos por alejarse de ella, y tres hijos menores que fácilmente pueden hacer lo mismo lo más pronto posible?

"La vida significa responsabilidad —protesta la señora Ortega—. ¿De qué otra manera se les enseña?"

La vida y ser padres también significan cercanía y cariño. Lo que un padre quiere estimular en la relación padre-hijo es el amor. Nadie quiere a un sargento mayor; la "responsabilidad" forzada es una condena, y no una manera de compartir las tareas que mantienen un hogar funcionando sin contratiempos.

LAS MASCOTAS
Y LA RESPONSABILIDAD

Otra forma común de "enseñar responsabilidad", y quizás tan improductiva como la lista de quehaceres, es la cadena de eventos que empieza con, "consigámosle un cachorrito al niño para enseñarle a ser responsable". Yo me pregunto ¿cuántos perros y gatos terminan siendo la responsabilidad única de los padres apenas pasa la novedad? ¿Quién le da de comer a la mascota, la saca a pasear y limpia lo que ensucia? Y ¿qué pasó con la lección de responsabilidad que supuestamente ésta debía enseñar? El niño que no se siente orgulloso de ser responsable por el simple hecho de que ése es un comportamiento aprobado, no se va a volver responsable porque de pronto tenga un perro al que debe cuidar, al igual que un niño sin amigos no va a hacerlos sólo porque se le envíe a un campamento y se le ponga en contacto con muchos otros niños.

La conducta responsable es producto del elogio y el estímulo para ser maduro, para actuar de una forma que indique independencia. Poner la ropa sucia en la máquina lavadora no es nada más que una acción mecánica, pero el reconocimiento y el elogio de los padres convierten ese quehacer en algo valioso y en una fuente de orgullo. Ayudar cuando a uno lo necesitan es adulto; la tarea específica es irrelevante, pero demasiados padres ven más la tarea realizada o sin realizar que lo que ésta representa.

¿CUÁL ES EL OBJETIVO REAL?

La capacidad de enseñar responsabilidad depende, ante todo, de ver las pequeñas pero valiosas acciones maduras que todos los niños realizan de tiempo en tiempo, y luego reconocerlas positivamente, de manera que el niño repita esas acciones, o unas similares, ya que ser maduro lleva a la aprobación paterna.

Silvia va a jugar con una vecina. Antes de irse, su mamá le dice: "Vuelve a las cinco, por favor", y ella promete que lo hará.

Silvia vuelve puntual a las cinco. De manera muy apropiada, y a pesar de ser un comportamiento esperado, la madre elogia a su hija de seis años por cumplir lo que prometió, una variación natural de la respuesta ABCD de estímulo.

"Fuiste responsable al volver a casa a tiempo —dice la madre—. Me gusta verte comportándote así".

Las pequeñas piezas del cuadro completo de ser una persona adulta y responsable se unen a medida que Silvia crece. Toma bien los mensajes telefónicos; eso es maduro. Se ofrece para ayudar a poner la mesa. Puede ser sólo cuestión de imitar lo que hace su madre, pero es una tarea que los grandes tienen que hacer, y por lo tanto su mamá la elogia por ayudar. Y cuando, en el futuro, ella le pida a Silvia que ponga la mesa, ése no será un quehacer que debe realizarse sino el comportamiento maduro que se debe asumir. En años venideros, cuando Silvia sea una adolescente que va a salir en la noche y se le diga que vuelva a casa a una hora determinada, hacerlo será un comportamiento maduro y responsable y no un requisito que la invitará a tratar de evitarlo en lo posible.

"Arregla tu cuarto, ¿cómo te aguantas este desorden?"

Para algunos niños ordenar no es tan importante.

"No quiero hacerlo".

"Bueno, yo quiero que lo hagas, y tienes media hora para hacerlo. Los grandes tienen que arreglar su desorden".

Puesto de esa manera — ser responsable de tener un cuarto ordenado o una cama tendida a primera hora de la mañana — "ser grande" no parece ser algo tan maravilloso. Por otra parte, un padre que no hace del cuarto ordenado o de la cama tendida un problema entre él y su hijo, no va a sufrir la tensión de disputas constantes. "Lo harás" y "No, no lo haré" es lo más lejos que debe llegar esta discusión, para evitar que el atractivo de la excesiva atención sobre el cuarto desordenado, o cualquiera que sea el quehacer en cuestión, supere los beneficios de completar la tarea o, desde el punto de vista de los padres, la satisfacción de ser obedecido.

El hecho es que las palabras de un padre han sido escuchadas; el niño sabe que el quehacer en discusión es algo que el padre quiere, y un día el cuarto aparecerá bellamente ordenado, con todos los libros y juguetes en su sitio. Ése es el momento del elogio, de comunicar valores, de establecer la conexión entre hacer una tarea y ser maduro y responsable.

"Hiciste un buen trabajo arreglando tu cuarto. Me agrada verte cuidando tus cosas. Eso es muy maduro".

Hay muchos mitos sobre la manera de enseñar valores, y uno que hace mucho daño a la relación entre padres e hijos es que el trabajo —obedecer órdenes— convertirá al niño en un adulto responsable. Infortunadamente, ésta es una de esas fórmulas mágicas sobre la conducta que simplemente no funciona; y en muchos casos puede tener un alto precio por la oposición que puede producir.

En cuanto al valor de hacer cosas por los demás, no me malentiendan. Preocuparse por otro ser humano, hacerle la vida más fácil a mamá, respetar las necesidades, deseos y sentimientos de amigos o extraños, son conductas loables que indican madurez y adultez. Pero si estos comportamientos no provienen del niño — si son forzados por los padres — es bien probable que retarden el proceso de crecimiento y construyan más resentimiento que carácter.

El elogio construye la responsabilidad, y para elogiar usted debe ver y estimular las actitudes tranquilas y las acciones que son patrones de comportamiento responsable en miniatura. Las listas y las tareas no son suficientes, si el precio que paga es un debilitamiento de los vínculos de cariño entre usted y su hijo.

Capítulo trece

SER CARIÑOSO ES
UN COMPORTAMIENTO ADULTO

"Quiero que Alicia crezca y sea una persona feliz, que se preocupe por los demás tanto como se preocupa por ella misma. Me parece que las dos cosas son muy importantes".

La madre de Alicia está en lo cierto. Entre las cualidades de la madurez sobre las que se hace menos énfasis y que se dejan de lado con mayor frecuencia están la sensibilidad y la preocupación reales por los demás: el cariño entre hermanos, los comportamientos estilo Madre Teresa y asumir la frustración con calma. En los medios de comunicación oímos mucho, tal vez demasiado, sobre la "sensibilidad", los "vínculos emocionales" y cosas similares, dirigidos a personas que súbitamente se preocupan porque pueden carecer de ellos. Las personas que desarrollan técnicas de capacitación en sensibilidad obtienen mucho éxito con este tema debido a que es tan abstracto que puede significar cualquier cosa. El tema puede dar pie a oportunidades para "dar libre curso a la expresión", horas de terapia para liberar emociones y "relacionarse" con los sentimientos propios y ajenos. Se ha vuelto una profesión lucrativa para un sinnúmero de consejeros que pretenden guiar a hombres y mujeres en el aprendizaje de la sensibilidad.

Algunas veces estos programas de autoayuda, y sus formas asociadas de terapia, funcionan, pero con frecuencia no surten efecto. Sin embargo, ningún padre quiere creer que esto es lo que el futuro les deparará a sus hijos, una sensación de incapacidad emocional que debe corregirse. Como la madre de Alicia, todos quieren que sus hijos adquieran un sentido de cariño e interés por los demás como parte del proceso de crecimiento.

¿QUÉ ES EL COMPORTAMIENTO CARIÑOSO?

Con frecuencia los padres no se dan cuenta de que el comportamiento cariñoso del que hablan es una clase de comportamiento positivo, que se puede enseñar a temprana edad y que está relacionado con todos los demás comportamientos a los cuales les dan gran valor.

Un niño o un adulto cariñoso tiene amigos.

Tiene una buena imagen de sí mismo; sabe que hace cosas que los demás consideran valiosas y que por lo tanto él es valioso.

Un niño o un adulto responsable se preocupa por el efecto de sus acciones sobre los demás. Ellos, a su vez, confían en él.

Parte del comportamiento independiente es ser consciente de nuestras acciones en relación con los demás; ser sensible acerca de cómo un cierto tipo de comportamiento va a afectar a otra persona. Ésta es la cualidad que el doctor Daniel Goleman llama "inteligencia emocional".

Los vínculos de amor entre padres e hijos que florecen en un atmósfera de elogio, en ambientes favorables, se extienden en los años posteriores a los amigos, los cónyuges y los hijos.

Actualmente, la tasa de divorcio en los Estados Unidos se está acercando al 50 por ciento y muchas veces las causas citadas son la incompatibilidad, la crueldad o las diferencias irreconciliables. Con frecuencia estas frases legales sencillamente definen la falta de cariño y sensibilidad, el hecho de que con frecuencia las personas encuentran difícil mostrar o, incluso, sentir verdaderos vínculos de afecto con los demás.

Incluso cuando una pareja de esposos se tiene cariño, es posible que no haya aprendido nunca a dar y recibir, ni a percibir comportamientos cariñosos cuando éstos se expresan, así como algunos padres no logran ver los comportamientos tranquilos de sus hijos.

En nuestro mundo es muy común ver las cosas negativamente, con el tipo de lente negativo que hace que los padres vean únicamente lo que no está bien y hagan caso omiso de lo que es correcto. De nuevo nos enfrentamos al modelo de vida que se centra en la enfermedad y en el problema, en vez de hacerlo en la salud y en un modo de vida sin problemas.

Usted puede enseñarles a sus hijos comportamientos cariñosos. Puede acercarse a un niño que aparentemente tiene poco sentido de lo que significa ocuparse de los demás y darle una base para la felicidad que constituye quizás uno de los aspectos más significativos de ser "mayor".

EL CARIÑO DEBE ENSEÑARSE EN CASA

Las cosas que significan cariño en nuestra sociedad son diferentes para cada persona. Con frecuencia entre los adultos, por ejemplo entre parejas de casados, el comportamiento cariñoso puede ser una cantidad de pequeñas cosas que hacen el uno por el otro. De hecho, el doctor Richard Stuart, que trabaja con parejas que tienen problemas maritales, tiene un sistema de "días cariñosos", en los cuales las parejas hacen un esfuerzo por construir una buena relación haciendo sólo aquellas pequeñas cosas que les significan cariño a cada uno.

Podemos comenzar a construir este atributo en nuestros niños enseñándoles a ser cariñosos desde jóvenes. Es cuestión de crear un sentimiento positivo de autoestima en ellos, para que sean capaces de construir con facilidad la autoestima de otros.

Esto es lo que llamamos "consideración" y es un importante comportamiento que se expresa mediante el interés y el deseo de cuidar a los demás, y que tiene amplias implicaciones en el mundo adulto, en el cual la recompensa por una respuesta cariñosa y considerada hacia los demás es el vínculo estrecho entre amigos y asociados, entre esposos y con nuestros hijos.

"Es encantador", decimos de los niños que, de manera espontánea, hacen algo considerado. Pero es algo más que encantador y deberíamos elogiar fuertemente al niño que llama a un amigo enfermo para ver cómo está, o le dice a otro que siente mucho que no pueda venir esta vez pero que por favor venga mañana. Saber compartir es considerado, como también el gesto de llevarle flores a mamá y todas las cosas pequeñas que hacen los niños y que muestran que no están pensando sólo en ellos mismos sino que son sensibles a los sentimientos y necesidades de otros. El cariño entre hermanos es parte del vínculo natural pero son los padres, cuyos ojos ven éste y otros comportamientos cariñosos, quienes lo estimulan.

Les enseñamos a los niños a través del elogio, calificando como valiosas muchas de sus acciones. Enseñarles a sus hijos el significado de ser cariñosos y considerados hace parte del trabajo de ser padres, independientemente de que usted no sea especialmente ni lo uno ni lo otro. Es mucho menos costoso que criar hijos que no saben cómo ser cariñosos y terminan siendo adultos que buscan respuestas sobre la manera de hacer que la gente los quiera y de expresar lo que sienten por otros.

La profesora de Ricardo notó su falta de sensibilidad hacia los sentimientos de sus condiscípulos en quinto grado. Tratando de ser gracioso decía cosas como "pareces un mico", o "sólo puedes jugar de arquero" a un niño gordo durante el descanso de un juego de fútbol. Si los otros chicos se ríen por sus comentarios insensibles, Ricardo obtiene un ligero sentimiento de autoestima. Al encontrar fallas en los otros niños y hacer que los otros se vean inferiores, él se siente superior a ellos o siente que ha equilibrado sus propias carencias.

Los padres de Ricardo, y su profesora de cuando en cuando, habían tratado de cambiar su comportamiento, de sensibilizarlo hacia los sentimientos de los demás.

"Hemos razonado con él. Le hemos preguntado cómo se sentiría si estuviera en los zapatos de los demás y la gente dijera ese tipo de cosas sobre él. Una y otra vez le hemos preguntado por qué dice estas cosas. Pero nada funciona. Es como si no nos oyera. Sólo oye las risas medio turbadas de los otros chicos".

Esas risas son para Ricardo una forma de elogio distorsionado, incluso si los chicos se sienten algo incómodos al respecto. Su insensibilidad hace que la gente le ponga atención.

ESTÍMULO SILENCIOSO

La forma de enseñarle a Ricardo un comportamiento más sensible no es hablar sobre el tema, pues la crítica implícita al rememorar lo que ha hecho mal garantiza que no va a escuchar. No es un momento propicio para enseñar y una corta reprimenda inmediata es más efectiva: "No me gusta lo que estoy oyendo. No quiero que le hables así a nadie". El niño sabe, sin necesidad de discutirlo, que su comportamiento no es adecuado.

El proceso de enseñar un comportamiento más sensible es el mismo que ya se esbozó: elogio, comunicación de valores en el momento propicio para enseñar después del elogio y una recompensa adicional en términos de tiempo agradable. Elogie a sus hijos por los más mínimos incidentes que muestren sensibilidad, independientemente de que el niño lo haga o no por cariño: una ocasión en que comparte con un amigo, un comentario que ayuda a otro niño en vez de hacerle daño, un gesto que muestra que está pensando en la otra persona, comportamientos estilo Madre Teresa, todo esto indica tanto madurez como inteligencia emocional.

Al enseñar comportamientos cariñosos, ayudamos a construir el amor propio, y si un niño se siente bien consigo mismo le será más fácil preocuparse por los sentimientos de sus amigos. El comportamiento cariñoso se prolonga hacia el futuro.

Los padres pueden enseñar el cariño reconociéndolo y haciéndolo tan valioso para el niño como es para ellos. Es una lección importante en el proceso de volverse adulto. La capacidad de comunicarse y responderles a los demás con sensibilidad y comprensión es algo que incluso el niño más pequeño puede empezar a desarrollar como un comportamiento positivo que durará toda la vida.

Capítulo catorce

APRENDIENDO A APRENDER

Un niño con problemas en el colegio obtiene mucha atención no sólo de sus padres sino también de sus profesores y condiscípulos, directivas y consejeros.

A los padres puede parecerles que hasta los más tempranos problemas académicos o de comportamiento en el colegio pueden tener enormes consecuencias. El desarrollo de la personalidad y el carácter de un niño, el inicio de una reputación e, incluso, hasta de un *curriculum vitae*, las oportunidades de educación superior, la selección de una carrera, la capacidad de competir en el mercado como adultos, todo esto está relacionado en la mente de los padres con el éxito que sus hijos logren al negociar su primera empresa real en el mundo exterior, y con lo bien que se ajusten al aprendizaje.

Recientemente, también, se nos ha entregado una gran cantidad de información y especulación sobre los problemas de aprendizaje — los llamados niños con dificultades para aprender, el niño hiperactivo, incluso el niño superdotado — y la forma de "curarlos", lo cual, de nuevo, implica que el comportamiento de los niños tiene como fuente un problema en alguna parte muy profunda. Con frecuencia los educadores y psicólogos dedican su carrera a encontrar y exorcizar los demonios que parecen estar obstaculizando el proceso de aprendizaje.

Pero aprender, o la reticencia a hacerlo, es una conducta como cualquier otra y los comportamientos positivos relacionados con el aprendizaje, desde querer o ser capaz de leer hasta prestar atención en clase, deben ser en gran parte enseñados. Los padres tienen tanta responsabilidad de estimular y cultivar las conductas relacionadas con el interés por aprender, como de fomentar el sentido de la responsabilidad, el comportamiento para hacer amigos y todos los comportamientos positivos que hemos discutido. Cuando algo esté retrasando a un niño o volviéndolo perturbador en la clase, o haciéndolo negarse a ir al colegio, es derrotista e irresponsable concederle todo el futuro del niño a un patrón de comportamiento imperfecto o a un déficit neurológico. Annie Sullivan sería la primera en decir que el enfoque debe centrarse en el comportamiento mismo: exactamente en lo que es, en cómo corregirlo y en cómo cultivar el interés natural de *cualquier* niño por aprender.

PRIMEROS PASOS

¿De dónde viene esa sed de aprendizaje? ¿Qué hace que a un niño le guste aprender o que quiera leer? Considere cuánto de lo que sabemos se deriva de nuestra capacidad de comprender la palabra escrita, especialmente en la actualidad, en la nueva era de la comunicación electrónica y del entretenimiento. Uno no puede manejar una computadora, enviar o recibir un correo electrónico o un fax y ni siquiera llevar con responsabilidad una cuenta bancaria, a menos que sepa leer. Independientemente de lo que nos depare el futuro, es probable que la tecnología continúe incrementando, en vez de disminuir, el porcentaje del conocimiento que obtenemos a través de la escritura.

La incapacidad de leer bien es la base de la mayoría de las dificultades de aprendizaje.

Con frecuencia se oye a los padres decir, "nuestro

hijo no para de hablar", o "a duras penas podemos callarlo". Mientras que son pocos los que dicen, "ese niño nunca deja de leer". Obviamente, hablar es agradable y es algo que ofrece una respuesta inmediata. Y aunque muchos niños disfrutan la lectura, es menos probable que esta habilidad produzca una gratificación externa similar a la de hablar, y ciertamente no de una manera tan inmediata, pues con frecuencia dicha gratificación no se presenta sino hasta mucho después de que el hábito de la lectura está bien establecido.

De nuevo, nuestro comportamiento se remite a las consecuencias. La consecuencia de aprender a decir una palabra es bien diferente de la consecuencia de aprender a leerla. Y los padres les dan diferentes respuestas a estos dos tipos de comportamiento aprendido. Sólo aprender a decir "mamá" atrae mucha atención, abrazos, sonrisas, estímulo para repetirlo y para decir nuevas palabras. Pero otra cosa es cuando un niño de cuatro o cinco años empieza a deducir que esos garabatos negros de la página son los símbolos de las palabras, frases, objetos e ideas. En primer término, usualmente no es un único evento que produce una respuesta espectacular como el primer "mamá", y en la mayoría de los hogares genera pocas reacciones inmediatas. Por el contrario, la gente suele prestarle

mucha más atención al niño cuando este acontecimiento no sucede. Cuando un niño debería poder leer
pero no lo hace, o no le gusta aprender en el colegio,
o no presta atención, generalmente se debe a que no
se han fomentado adecuadamente estas habilidades y
comportamientos. La atención que el niño obtiene
después de descubrir tal déficit puede generar un poderoso mensaje negativo que es, con frecuencia, del
tipo equivocado.

Puede ser incluso más angustioso para los padres.
"Pero nosotros leemos todo el tiempo —dicen—. Hay
libros por toda la casa".

De nuevo, la imitación no es una forma confiable
para estimular el comportamiento. Enseñar con el
ejemplo, comunicar el valor de aprender sólo a través
de ser padres amantes del aprendizaje, establece un
ambiente propicio, pero puede que no tenga mucho
efecto en la adquisición de este comportamiento por
parte del niño. En el mejor de los casos, le da un
incentivo adicional al niño que quiere ser como papá
y mamá.

Por otra parte, los padres pueden estimular el deseo
de aprender — incluso con miras a desarrollar la habilidad más fundamental del aprendizaje, la lectura —
si le dan a este comportamiento el mismo tipo de
respuesta que le dan a la capacidad de hablar: reaccio-

nes positivas inmediatas. Los padres pueden despertar en el niño la sed de aprendizaje antes de que llegue al proceso altamente complejo de la educación formal.

Es importante señalar que hay una diferencia entre enseñar comportamientos tales como la responsabilidad, ser buen amigo, ser independiente y maduro, y la enseñanza de comportamientos del estilo sed de aprendizaje. Por ejemplo, el comportamiento de hacer amigos es relativamente aislado y, cuando se presenta, existe dentro de límites bastante estrechos, de manera que aunque la falta de amigos puede afectar la vida del niño, es relativamente fácil para los padres estimular o desestimular acciones dentro de este tipo de comportamientos. Sin embargo, cuando hablamos de educación formal estamos tratando con una estructura de aprendizaje mucho más compleja, que requiere diversos prerrequisitos si se espera que el niño progrese. La lectura y las matemáticas se enseñan paso a paso, y si le niño pierde un paso, no puede seguir con éxito al siguiente. Normalmente los padres no pueden proporcionar las partes faltantes, independientemente de cuánto ayuden con las tareas. Y a largo plazo, la educación formal debe estar en manos de profesionales.

Lo que sí está en manos de los padres, sin embargo, es sentar las bases de la sed de aprendizaje. Ellos pueden proporcionar el tipo de aliciente que prepara el escenario para el proceso formal que comienza cuando un niño entra al colegio y que hará que todo valga la pena.

CÓMO PONERLE MIEL A LAS LETRAS: EL CONTRATO ESCOLAR

En una antigua tradición relacionada con la enseñanza del alfabeto hebreo, hay un significativo modelo de cómo los padres pueden fomentar una temprana sed de aprendizaje. En la Edad Media, a los niños judíos se les daban pizarras en las que cada letra del alfabeto estaba cubierta con miel. El niño lamía la miel y se aprendía la letra; el aprendizaje se volvía dulce de una manera tangible.

De hecho, nosotros ya hemos convertido el lenguaje verbal en algo dulce al recompensarlo con estímulo. El padre que desee inculcar en un niño la avidez por aprender debe recordar que la lectura también debe hacerse dulce a través del estímulo.

Un niño que busca el sentido de los signos negros de una página de un libro — "¡eso significa gato!" — merece la misma atención que recibió cuando dijo la primera palabra. El logro de ser capaz de comprender lo que está detrás de las palabras en la escritura debe considerarse de gran valor, y no sólo cuando el niño ya

está en medio de una situación escolar sino durante
los años preescolares. No subestime la trascendencia
de que un niño traduzca los garabatos de una A o una
B; es exactamente la misma habilidad que desmitificó
la piedra de Roseta y que ahora orienta a la humanidad hacia la conquista del espacio exterior. Estimular
el uso de esta herramienta esencial de la educación es
una de las formas más poderosas que tienen los padres
para darle al niño el gusto de la miel y la dulzura del
aprendizaje.

Muchos de los problemas del aprendizaje surgen
porque el niño no le encuentra ningún valor a la lectura, puesto que se le ofrecen pocas recompensas a
este comportamiento durante los primeros años. Y
cuando llegue el momento en que la gratificación se
dé con calificaciones en los trabajos, el niño al que no
le va bien probablemente se verá agobiado con un
rótulo que definirá sus capacidades de aprendizaje
para el resto de la vida. Mucho antes de que el niño
salga de casa se deben comenzar a valorar significa-
tivamente los comportamientos que serán recompensados en el colegio.

En ocasiones, puede ser útil redactar un contrato
escolar entre padres e hijos.

Los colegios, obviamente, tienen su propio contrato
con el niño, respaldado por diversos incentivos. Las

calificaciones, por ejemplo, les permiten a los padres y profesores verificar el nivel de logro del niño, a la vez que constituyen un poderoso refuerzo al comportamiento estilo sed de aprendizaje. Lo mismo pasa con las medallas, las cintas, los premios al estudiante de la semana o al mejor alumno, y diversos honores que pueden ir desde entradas para el auditorio o permiso para participar en actividades deportivas o actuar en una pieza teatral, hasta encabezar un desfile escolar.

Ningún padre manda a sus hijos al colegio con la esperanza de que se vuelvan monitores de pasillo profesionales o para que hagan una carrera como coleccionistas de medallas. Cualesquiera que sean los incentivos que escojamos para apoyar el comportamiento tipo sed de aprendizaje en nuestros hijos, éstos son sólo un primer paso y pronto serán reemplazados por las gratificaciones internas. El sentimiento de satisfacción interna es una parte importante de la vida adulta. Cualesquiera que sean las otras gratificaciones que les damos a nuestros hijos para iniciarlos en el camino, la meta final es un sentimiento de satisfacción personal y de valor propio que le da significado a la vida y es un poderoso incentivo para el deseo de fijarse metas y lograr objetivos.

Cualquiera que sea el incentivo que uno establezca en su contrato escolar, el único criterio que cuenta es que sea algo valioso para el niño. La mayoría de las familias usan el dinero, pues tiene unidades que corresponden fácilmente con el sistema de puntaje numérico del contrato y les da la oportunidad de cultivar otros comportamientos útiles, tales como la toma inteligente de decisiones sobre el manejo del dinero.

Las recompensas en un contrato escolar se basan en cuatro criterios: las calificaciones diarias, los proyectos o trabajos especiales, la lectura y los promedios mensuales. Nótese que no hay ítems de débito, lo que significa que del puntaje del niño no se restan puntos por ninguna razón; el costo de un desempeño por debajo de la norma es simplemente que el niño no gana puntos por un ítem específico. Los padres y el niño deben acordar por anticipado el valor de los puntos, ya sea en dinero o en otro artículo motivador.

EJEMPLO DE CONTRATO

Calificaciones escolares diarias	Puntos
Malo	5
Regular	10
Aceptable	25
Bueno	50
Muy bueno	75
Excelente	100

Proyectos o trabajos especiales terminados y listos para entregar

A tiempo	25
24 horas antes	100

Calificaciones de proyectos

Aceptable	100
Bueno	200
Muy bueno	400
Excelente	600

Número de lecturas realizadas durante el mes

1	100
2	300
3	800
4	1.200

Número mensual de calificaciones Buenas o por encima de Buenas

3	500
5	1.000
7	1.500
8	2.000

EL NIÑO CON "DIFICULTADES DE APRENDIZAJE"

"Juan no está aprendiendo en el colegio, no está alcanzando las metas —dicen sus padres—. Está en cuarto grado y no creemos que haya progresado nada desde que empezó a ir al colegio. Siempre ha sido un niño activo y no se concentra bien, entonces no presta atención y no aprende".

"Desde luego —añaden—, cuando empezó el colegio sabíamos que tenía un problema. Su profesora de preescolar nos lo dijo hace cinco años".

Ése es un escenario común. Enfrentada a un niño activo, que no hace esfuerzo por aprender, la profesora de preescolar les dice a los padres: "Algo hace que Juan no esté al mismo nivel de los otros niños. Tiene un problema, una dificultad de aprendizaje".

Juan no puede aprender porque tiene una dificultad para hacerlo. Tiene dificultad para aprender porque no aprende. La razón de uno se responde con la razón del otro.

Es mucho más probable que el problema real de Juan sea que no ha *aprendido* a aprender. Ponerle el rótulo de "dificultad de aprendizaje" es como culpar al paciente porque el doctor no sabe cómo curar la enfermedad.

Ya en cuarto grado sus padres y profesoras están frustrados.

"Un día sabe algo de aritmética y al siguiente es como si nunca hubiera oído hablar de ello. Aprende las reglas de ortografía y casi en seguida las olvida. No se le queda nada".

"Es muy infeliz —dice su madre—. Tiene lo que yo llamaría una pobre imagen de sí mismo, y no tiene confianza en él. Se llama tonto, le hemos hecho exámenes neurológicos y todo tipo de pruebas que no parecen encontrar ninguna explicación. Ha tenido dificultades desde que entró al colegio".

¿Pasa su madre mucho tiempo con él ayudándole con su trabajo escolar?

"Ah, sí. Leemos juntos y trabajamos en sus tareas. De hecho, él me recuerda que tiene tareas y que debo sacar tiempo para ayudarle. Siento que debo ayudarle porque tiene dificultades de aprendizaje".

¿Cómo lo sabe?

"Porque nos lo dijeron, y nosotros mismos podemos ver que no está llegando a ninguna parte. Yo sé que si hace algo un poco mejor se siente mucho más feliz. Si puedo hacer algo para ayudarle, tengo que hacerlo".

Juan tiene un problema. La responsabilidad de la madre es hacer lo que pueda para ayudarle, a pesar de que nadie sea capaz de explicarle la forma de solucionarlo. En efecto, ¿cómo puede solucionarse si es verdad que Juan tiene un defecto en su cerebro, que no se puede detectar pero que lo ha incapacitado? Sin embargo la única evidencia de este problema es que el niño no aprende, olvida cosas, se considera a sí mismo un "tonto" y no tiene confianza en sus capacidades o en sí mismo. ¿Podría ser que su problema estuviera en un lugar distinto del cableado de su cerebro?

MÁS PROBLEMAS CON LOS RÓTULOS

A los cuatro años más o menos, a Juan se le puso un rótulo que ha llevado adherido a lo largo de sus años escolares. Algunas veces a los niños se les rotula como tímidos o poco colaboradores, o mimados, y es muy poco lo que pueden hacer para librarse del estigma. Y ¿por qué deberían tratar? Incluso cuando el rótulo es despectivo o el mensaje es completamente negativo, los niños — y demasiados adultos — creen lo que oyen. "Dificultades de aprendizaje" puede ser un concepto más o menos vago, pero sus efectos pueden condenar a alguien. La madre y el padre y las profesoras saben lo que significa, y están en posición de ver y responder al comportamiento de aprendizaje que confirma el rótulo. Le prestan atención al comportamiento negativo y dejan que los momentos tranquilos, en los que Juan está aprendiendo o mostrando un comportamiento de aprendizaje que podría estimularse, pasen inadvertidos. A Juan se le ha rotulado como un niño especial, con necesidades especiales; los padres y profesores redoblan sus esfuerzos cuando ven evidencia de su "problema" y le dan un tratamiento especial. Con frecuencia los rótulos se vuelven la profecía que se cumple a sí misma: si uno describe a un niño de determinada manera durante suficiente tiempo, el niño comenzará a comportarse en la forma descrita.

La madre saca tiempo para ayudarle con su tarea; la profesora lo ubica en grupos de lectura con otros niños que han sido identificados con rótulos similares y colocados fuera de la tendencia general del grupo. Hay un gran compromiso paterno, y hay mucho menos estímulo para que Juan rompa el patrón de comportamiento establecido. No se necesita mucho tiempo para que toda la situación se vuelva una profecía que se cumple a sí misma: en cuarto grado, Juan es de verdad un niño con dificultades de aprendizaje. El comportamiento que *sí* ha aprendido es no aprender. Hay un resultado negativo grande que se logra equilibrar con la ganancia que significa el gran compromiso paterno generado por el hecho de tener problemas de aprendizaje. El niño se está retrasando cada vez más. "Apenas estoy en cuarto grado —se le ha oído comentar—. Mi mamá me hizo quedarme un año". Él mismo está contribuyendo a pulir una mala imagen que le va a durar toda la vida.

Con frecuencia los educadores y los psicólogos le ponen un rótulo al comportamiento que parece explicar lo que sucede, aunque en realidad no lo hace. El simple hecho de ponerle a un niño en el colegio el rótulo de que tiene dificultades de aprendizaje, no ayuda en absoluto a comprender el problema. En muchos casos es sencillamente conveniente para el sistema; es más una trampa bajo sus pies que una herramienta útil para el niño y su familia. En el mejor de los casos, los rótulos no tienen valor en el sentido práctico; en el peor, son destructivos.

La frase "dificultades para aprender" no nos dice nada fuera de que el niño tiene problemas con su aprendizaje. Los neurólogos que deciden que hay un "daño cerebral mínimo" porque no pueden encontrar ninguno, los educadores que miden la capacidad para aprender y los psicólogos que tratan de descubrir las causas emocionales de los problemas de aprendizaje nunca han utilizado este tipo de rótulo amplio para ayudar a resolver algo.

Una manera muchísimo más efectiva de enfocar las dificultades de aprendizaje, en especial las que han sido rotuladas así por ausencia de una explicación mejor, es la que relaciona el comportamiento con las consecuencias. Este enfoque le pone miel a las letras. La lectura y otros tipos de comportamiento de aprendizaje reciben recompensas inmediatas. Este enfoque puede corregir y revertir comportamientos de aprendizaje deficiente o inexistente, incluso aquéllos asociados con problemas de desafío y falta de amigos.

No quiero sugerir que los padres de un estudiante que esté atrasado en relación con sus compañeros de colegio debido a que le diagnosticaron que tiene dificultades de aprendizaje puedan, por sí solos, cambiar el comportamiento de aprendizaje de su hijo. En primer lugar, gran parte de la dificultad se presenta en el ambiente escolar, donde los padres tienen una influencia menor y hay muchas más personas involucradas que en la casa. Sin embargo, sí sugiero que los padres de niños pequeños a quienes se les rotula con dificultades de aprendizaje (o que se les separa con uno de los otros rótulos que los educadores usan para describir niños con problemas de aprendizaje) examinen cuidadosamente el comportamiento del niño antes de aceptar el rótulo. No se puede encontrar una solución hasta no identificar bien el problema.

A pesar de las numerosas teorías sobre la naturaleza diversa de las dificultades de aprendizaje, los únicos tratamientos efectivos son los que se enfocan en el comportamiento y en su desarrollo. En ausencia de este enfoque dentro del colegio, los padres enfrentan una lucha solitaria. Pueden tener cuidado de no alimentar en la casa la imagen negativa que su hijo tiene de sí mismo, pero es difícil contrarrestar el efecto cuando estos rótulos definen al niño en el colegio.

Es muy probable que Juan haya aprendido a tener dificultades de aprendizaje debido a que inicialmente no recibió estímulo por comportamientos tipo sed de aprendizaje, ni elogios por los momentos en los que descubrió por primera vez las letras o los números. Cuando su profesora de preescolar resolvió que debía tener dificultades de aprendizaje porque no podía aprender a pesar de tener una inteligencia promedio o por encima del promedio, el problema empezó a afectar no sólo las ideas de Juan sobre sí mismo, sino también las de sus padres y futuras profesoras. El niño recibió atención por no aprender.

Sus padres dieron un primer paso para ayudarlo a salir de su problema. Trataron de que el rótulo fuera menos significativo disminuyendo su atención, su ayuda constante y su evidente preocupación. Al mismo tiempo, cualquier señal que veían de comportamiento positivo en cuanto al aprendizaje, incluso leer el titular de un periódico u hojear un libro de historietas, era estimulada con cuidado y elogio.

La madre de Juan recordó que volvió a casa emocionado y feliz porque ese día lo habían puesto en un grupo más avanzado de lectura, una oportunidad para elogiarlo y pasar un rato gratificante con él. Incluso una hoja de tarea terminada o un trabajo pulcro, en el que los errores de ortografía no anulan el esfuerzo, podía volverse una ocasión para que Juan sintiera que valía un poco más, y era más apto para aprender.

Sin embargo, en el análisis definitivo el mayor peso del manejo de niños a quienes se les ha rotulado con dificultades de aprendizaje, así como el proceso completo de la educación formal, debe recaer sobre los profesionales. Sólo un profesional puede enseñarle de verdad a un niño los pasos del aprendizaje en un ambiente formal, para ayudarle a ponerse al día y, ojalá, a hacer del aprendizaje una experiencia gratificante. Pero no dependa sólo de los profesionales. En la mayoría de los casos es poco probable que ellos solos puedan nivelar al niño con el grupo. Es tremendamente importante para los padres de los niños en edad preescolar que endulcen el interés por aprender lo más temprano posible, a pesar de que las recompensas definitivas puedan parecer distantes.

EL NIÑO HIPERACTIVO
Y OTROS PROBLEMAS

Hace unos años me reuní con una profesora a raíz de los problemas de aprendizaje que tenía un niño de su clase. Tomé la decisión de hablar con ella porque los padres me dijeron que al niño le habían puesto el rótulo de tener problemas de aprendizaje.

La profesora contó que antes de que llegara a su clase, le habían advertido que el niño tenía un problema, pero el saberlo no había facilitado su manejo cuando llegó. Dijo que era inquieto en la clase, que hablaba fuerte y que se negaba a sentarse en su puesto, molestando a los otros niños y haciéndoles la vida infeliz a todos, incluso a ella.

Me confió: "Si no tuviera otra información, yo hubiera dicho que el único problema de Carlos es que es necio". Pero el rótulo de tener problemas de aprendizaje le exigía pasar por alto lo obvio. El enfoque del problema dado por la educación moderna había inducido a esta profesora, y a muchos otros profesores y padres, a ver a los Carlos de los salones de clase no como niños que se comportan mal, sino como niños que tienen un trastorno. Cuando un niño se comporta de una forma molesta genera un conjunto de reacciones, siendo la más elemental la de tratar de ponerle un alto. Pero cuando un comportamiento idéntico tiene el rótulo intimidante de dificultad de aprendizaje, las reacciones que se generan son totalmente diferentes.

Una vez puesto el rótulo, el comportamiento que con justificada razón pondría furioso a un padre o a un profesor, exige ahora una preocupación solícita, atención, ayuda especial, es decir, todos los tipos de respuesta que estimulan a un niño a continuar molestando.

Pensemos en la hiperactividad, uno de los problemas favoritos actuales entre educadores y psicólogos, así como entre el personal médico que trata de encontrar la "causa". Toda la evidencia que ha sido recopilada sobre aditivos químicos en la comida, alergias y deficiencias nutricionales como factores que contribuyen a la hiperactividad no ayuda en nada a manejar el comportamiento real. Y *ése* es el problema: con mucha frecuencia la razón por la cual el comportamiento inapropiado persiste es porque el niño percibe que vale la pena seguir adelante con él. Ésa también puede ser la clave para anularlo.

Algunos niños son más activos físicamente que otros, algunos tienen períodos de atención más cortos, algunos han tenido tan poco estímulo para leer y disfrutar de la lectura que el comportamiento tipo sed de aprendizaje no hace parte de su repertorio de comportamientos y muy pocas situaciones escolares pueden mantener su interés. Cuanto menos agradable se vuelva el aprendizaje, crearán más comportamientos que les permitan escapar.

"Es hiperactiva", dirá un educador o un psicólogo y, evidentemente, la niña en cuestión estará menos interesada en permanecer sentada y poner atención. El rótulo ha sido puesto y de ahí en adelante el comportamiento será estimulado por la atención que se le prestará cada vez que se manifieste.

Melisa ha aprendido que un cierto tipo de comportamiento, que los adultos que están a cargo de ella rotulan como hiperactividad, la convertirán en el centro de atención en casa y en el salón de clase.

"¿Qué hicieron cuando la profesora les dijo que Melisa era hiperactiva?"

"Lo primero que pensamos fue 'tenemos un problema,'" dirán sus padres. Buscarán lo que puedan sobre hiperactividad y luego utilizarán sus conocimientos para reprimir una respuesta normal la próxima vez que vean a Melisa portándose mal en la mesa del comedor.

Súbitamente, y de manera bastante predecible, el problema empeorará. Y a pesar de que ahora los padres tienen un rótulo que describe el comportamiento, no se les ha dado ningún elemento para ayudar a Melisa a controlarlo.

Pero puede haber una respuesta, y tiene que ver con el comportamiento que se está estimulando inadvertidamente. Cuando algunas señales de "hiperactividad" perturban a un padre o a un profesor, les pondrán atención sin importar la causa. Y la atención es una gratificación.

El mismo patrón puede observarse con niños que tienen la llamada dislexia o problemas menores del lenguaje. Un niño pequeño que está aprendiendo a leer o a hablar pronuncia mal una palabra o escribe una letra al revés. Los padres se preocupan inmediatamente, buscan más casos. Se aplica el rótulo y el tiempo y la atención se centran en el problema. Hay una ganancia inmediata por escribir letras al revés o por tartamudear. Debe recordarse que, *incluso si* es posible determinar alguna causa fisiológica o neurológica para las dificultades que hemos estado discutiendo, la atención y el compromiso adicional reiterado que se les presta a tales niños puede estimular inadvertidamente el comportamiento negativo. Fomenta su existencia, lo ayuda a crecer y le enseña al niño que vale la pena ver las letras al revés, tartamudear, desorganizar la casa y el salón de clase con exceso de actividad.

Incluso en casos en los que los niños tienen ataques epilépticos, la investigación ha mostrado que una parte del trastorno puede ser operante, es decir, que la epilepsia responde a reacciones positivas. Cuando estas consecuencias positivas se reservan para cuando el niño no haya sufrido ataques epilépticos — cuando se estimulan conductas saludables desligadas de la epilepsia — la frecuencia de los ataques disminuye.

Lo que se debe fomentar no es el comportamiento ruidoso, sino precisamente el contrario.

DIANA APRENDE A SER INDEPENDIENTE

Afortunadamente, muchas dificultades escolares escapan a esta clase de rotulación y son tratadas objetivamente, estimulando el tipo de comportamiento correcto. El caso del niño que no se sentía orgulloso de su trabajo escolar, que olvidaba el abrigo y los guantes en el patio de juegos y que no alcanzaba a terminar sus trabajos a tiempo era un problema "escolar" que se solucionó cuando los padres identificaron como comportamientos valiosos sus logros en el colegio y el que les prestara atención a sus pertenencias y a sus tareas.

Otro ejemplo es Diana quien, según informes de su profesora de segundo grado, no era capaz de trabajar independientemente.

"Trabaja con lentitud en las actividades asignadas,

aunque cuando me siento con ella y la estimulo, con frecuencia realiza el trabajo con rapidez y facilidad", dijo su profesora.

Algunas veces, Diana parecía insegura de sí misma, hablaba con una voz tímida y suave y les pedía a la profesora y a sus amigos que hicieran por ella cosas que debía poder hacer sola, como subirse la cremallera o ponerse las botas.

"No hay duda de que Diana es una niña inteligente —continuó—. Puede hacer su trabajo y comprende bien las cosas. El problema parece estar en que no está dispuesta a hacer nada sola. No tiene confianza en ella misma, prefiere recurrir a los demás. Cuando se supone que debe trabajar sola, invariablemente me mira a mí o a sus compañeros".

Por fortuna, la profesora tuvo una visión objetiva y no escogió la salida fácil de recomendar pruebas psicológicas para descubrir algún tipo de problema. Diana simplemente necesitaba tomar la inteligencia y las capacidades que obviamente tenía y aprovecharlas aprendiendo a ser más independiente y a tener más confianza en sí misma.

Al hablar con sus padres, quedó claro que la complacían en exceso y admitieron que, como era la hija menor, ellos y sus hermanos mayores le fomentaban en casa una actitud dependiente. Le ayudaban con la ropa y le daban muchas oportunidades de dejarlos hacer a ellos lo que ella debía realizar sola.

Sin embargo, cuando entró al mundo más amplio del colegio, el comportamiento que era acostumbrado en la casa adquirió un significado diferente para las profesoras y los condiscípulos; su falta de independencia tuvo un efecto negativo sobre su aprendizaje. En un salón de clase en el que muchos niños compiten por el tiempo de la profesora, la dependencia excesiva de Diana, aunque fuera sólo para asegurarse de que su trabajo valía la pena, era inaceptable.

Al unir los dos puntos de vista sobre los comportamientos de Diana, la profesora y los padres vieron claramente las dificultades y pudieron implementar un sistema de elogio y recompensa a los comportamientos maduros, independientes y responsables. En la casa esto implicaba hacer cosas sin la ayuda de sus padres o hermanos, y en el colegio, hacer el trabajo asignado sin tener a la profesora al lado. Al mismo tiempo se mantuvo en un mínimo la atención prestada a Diana inmediatamente después de conductas de "trabajo lento", de "no trabajo", o de otro tipo de comportamientos menos maduros. Sin la antigua ganancia por ser dependiente, sus llamados problemas de aprendizaje se volvieron cosa del pasado.

La clave con los problemas escolares, desde la fobia escolar (no querer ir al colegio de ninguna manera) hasta comportamientos que perturban a todo un salón de clase, es mirar lo que sucede en realidad. De nuevo, en cuanto a cambios de comportamiento se refiere, es menos rentable comprender a un niño que ver la realidad: lo que un niño hace y el tipo de recompensas que recibe y que le dan valor a su comportamiento.

Los numerosos profesores con los que trabajo han encontrado que el sistema de elogio y recompensa es altamente efectivo y rápidamente se vuelve parte de la filosofía con la que manejan a todos los niños de una clase.

"Cuando me enfurezco al final de un día pesado al ver a Tomás cuchichear en el pasillo o a Catalina intimidar a uno de los otros chicos por algo, doy un paso hacia atrás y recuerdo que gritar no va a hacer nada más que convertir a Tomás y a Catalina en el centro de atención. Sólo los reprendo y al día siguiente trato de encontrar en su comportamiento algo que pueda elogiar. Esto me evita el desgaste y hace que los niños se sientan un poco más orgullosos de sí mismos y de lo que pueden hacer".

EL BEBÉ APRENDE A DORMIR

Una vez tuve una paciente a quien su bebé de diez meses la despertaba diez veces en la noche. Ya había acudido donde un renombrado especialista en sueño infantil y había ensayado muchos enfoques distintos, todos sin ningún efecto. "Es como si un ser extraño hubiera invadido su cuerpo", me dijo.

Obviamente un bebé no tiene una larga historia, de manera que no tardé mucho en enterarme de que se habían presentado una serie de crisis familiares durante los dos primeros meses de su vida, y la madre había permanecido con su hijo casi constantemente durante este primer periodo. Más tarde encontré otra razón que fomentaba este inusual comportamiento de cercanía entre el niño y la madre: una larga historia familiar de problemas de fertilidad. Cuando dio a luz, la madre sintió que su hijo era tan especial que quería abrazarlo, alimentarlo y cargarlo todo el tiempo. "Me la paso pensando que parece increíble que lo hayamos logrado".

La abuela le ayudaba y, como el bebé era el primer nieto en muchos años, fomentaba el mismo comportamiento. La madre no podía ni siquiera dejar al niño el tiempo suficiente para ir al baño; literalmente lo tenía que llevar con ella.

Cuando establecí cuán dominante se había vuelto este patrón, le dije a la madre que quería que empezara a fomentar una conducta de distanciamiento. Le pedí que cada vez que se alejara del bebé le permitiera de manera deliberada que se acostumbrara a la separación, sin importar qué tan ruidoso o doloroso pudiera resultar; cuando volvieran a estar juntos debía recompensarlo con elogios por portarse como un niño grande en su ausencia. "Nunca la va dejar de querer — le prometí—, pero a menos que quiera que la acompañe al baño hasta que usted esté vieja, necesita reforzar su independencia".

Le describí la analogía de cuando los niños aprenden a hablar, una habilidad que mejora en proporción directa con el estímulo que se le dé al lenguaje. Le conté sobre el niño de cuatro años cuyos padres me consultaron porque tenía un vocabulario de tres palabras: sí, no, eso. No tenía que aprender más palabras porque esas tres le daban todo lo que necesitaba. Cuando fomentamos el comportamiento de imitación para desarrollar sus habilidades de lenguaje, en un mes tenía un vocabulario de más de trescientas palabras y no había parado de hablar desde entonces.

La madre del bebé siguió el sencillo plan y unos pocos días después volvió a contarme: "Funcionó como un milagro. Duerme de las 8 p.m. a las 8 a.m. sin despertarse". Me dijo que parecía como si su hijo hubiera reemplazado al demonio por un ángel.

Una gran parte de lo que pasó en esta historia, como en todas las demás, se debe al poder, con frecuencia sorprendente, de la respuesta al estímulo. El mismo principio se aplica para alentar las primeras palabras, los primeros pasos y, en este caso, la primera evidencia de una independencia saludable.

A la gente se le dificulta creer qué tan bien funciona, generalmente porque es muy fácil.

Capítulo quince

LA DISCIPLINA Y
EL "NIÑO DIFÍCIL"

Cuando un profesional les dice a un padre y a una madre que tienen un "niño difícil", es probable que cualquier cosa que oigan después no sea de mucha ayuda. Incluso si el terapeuta no dice directamente que el niño nació así, ésa es la impresión que tienen los padres, y el efecto puede ser devastador. Son innumerables los padres que a lo largo de los años me han preguntado, de una u otra manera, si los problemas de comportamiento de su pequeño hijo podían siquiera ser tratados. "Puede que lo que en realidad necesitemos oír sea que no hay mucho por hacer —me dicen— que tenemos un problema y que no podemos deshacernos de él. Por lo menos sabremos que lo intentamos, y que no es culpa nuestra".

He encontrado esta actitud con mucha mayor frecuencia desde la publicación de un libro sobre los llamados niños difíciles, que algunos padres han traído consigo en la primera visita. El libro, que ha sido un éxito de librería, describe un conjunto de problemas graves de conducta en niños pequeños, incluyendo rabietas prolongadas y severas, morder a otros niños e incluso a los adultos, tirar comida en la mesa, perturbar con frecuencia el sueño de sus padres pasándose a su cama durante la noche, llorar durante demasiado tiempo y con mucha frecuencia. El autor sugiere una serie de respuestas, desde imponer la autoridad hasta diferentes formas de súplica disfrazadas de discurso racional, las cuales, cosa poco sorprendente, no siempre arrojan resultados maravillosos. La conclusión final del libro es que si los padres no pueden cambiar a sus hijos, lo que sí pueden cambiar son sus propias expectativas sobre la forma en que éstos deberían actuar.

Durante todos mis años como terapeuta, no me he encontrado todavía ni un solo niño cuyos problemas de comportamiento fueran únicamente el resultado de "algo con lo que nació". Nunca he tenido un caso en el que hasta el peor comportamiento no mejorara sensiblemente cuando los padres aprendieron a cambiar su respuesta a los comportamientos perturbadores y a utilizar la respuesta del estímulo para fomentar un adecuado repertorio de conductas.

Cualquiera de estos ejemplos de comportamiento fuertemente perturbador — incluyendo empujar, pegar, arrojar comida y usar lenguaje grosero u obsceno — tiene esta serie de alternativas y todas exigen intervención inmediata.

Una de las lecciones más importantes en la crianza de los hijos es que, independientemente de cómo respondan a la conducta del niño, los padres siempre están estimulando *algo*. Si por equivocación fomentan los brotes violentos, el niño producirá más violencia. Si fomentan las malas caras, eso es lo que recibirán a cambio. Así mismo, si el niño está actuando en cualquiera de estas formas es porque en alguna parte del proceso hay una recompensa para este tipo de comportamiento. Obviamente, lo mismo es cierto para niños que desarrollan las mejores habilidades sociales y de aprendizaje.

El asunto de la disciplina y el castigo, que a veces es necesario, es difícil. Aunque el elogio construye comportamientos positivos, el castigo no necesariamente detiene los negativos, en especial si se le da la forma de una "buena charla", que es el tipo específico de atención que se centra en el niño, concediéndole tiempo y preocupación paternos. Un famoso consejero familiar sugiere como castigo enviar al niño a su cuarto durante treinta minutos. Esto supuestamente le da al niño tiempo para reflexionar sobre sus faltas y ver los errores de sus actos. Eso esperan los padres. Sin embargo, es dudoso que media hora, usualmente en un cuarto lleno de juguetes, haga que el comportamiento "castigado" ocurra con menos frecuencia. De hecho, parecería que el único beneficio positivo para los padres es que el niño esté fuera de su vista durante treinta minutos.

Por otra parte, el castigo en términos de ausencia total de recompensa puede ser altamente efectivo si se utiliza poco. Además, sólo debería utilizarse para faltas graves, por ejemplo, insultar, golpear o destruir intencionalmente alguna propiedad.

Hay cuatro criterios para el castigo. El castigo debe ser:

1. Justo
2. Poco frecuente
3. Inmediato
4. Breve

EL CASTIGO Y LOS PADRES

"Me castigaron cuando niña y no me gustó. No quiero castigar nunca a nadie, en especial a mi hijo".

El problema es que esta madre tiene un hijo que tiene una gran necesidad de que se le fijen límites con claridad. Roberto hace muchas cosas graves que deben ser sancionadas y detenidas cuando suceden. Su madre admite que su sistema de manejar los comportamientos graves no es efectivo.

Roberto siempre hace lo que se le dice que no haga y por lo general rechaza las órdenes directas de los padres. Sorprende a su madre diciéndole, "tú me odias. ¿Qué clase de mamá eres?" La golpea, la insulta y les pega a otros niños.

"No me decido a castigarlo pero debo admitir que estoy acumulando mucho resentimiento. Veo mamás que dicen, 'deja de hacer eso', y con sólo esas palabras y el tono de su voz los niños obedecen. Las mamás no tienen ni siquiera que decir, 'no me gusta eso, no lo hagas'. Con sólo una mirada el niño deja de hacerlo. Si yo le digo a Roberto, 'no hagas eso', lo vuelve a hacer. Es implacable".

Debido a su incapacidad para hacer que cesen los comportamientos que la molestan, Roberto y su madre enfrentan repetidas batallas que sólo producen un creciente resentimiento y rabia entre los dos.

Si la madre de Roberto quiere poder detenerlo con una mirada o con unas pocas palabras dichas en tono suave, ambas acciones deben estar asociadas a una consecuencia significativa. Por el momento, Roberto sabe que no hay ninguna.

La consecuencia puede tomar varias formas: la ausencia total de atención, un regaño o una forma más fuerte de castigo. Si después de la mirada deben seguir las palabras y después de las palabras debe venir la acción, la secuencia será significativa sólo si ocurre con rapidez.

"NO QUIERO HABLAR DE ELLO..."

A lo largo de este libro, hemos presentado la manera de estimular conductas positivas mediante el elogio y la recompensa, y la forma de analizar problemas de comportamiento para ver cómo han sido estimulados sin querer.

Cuando Sofía provoca a sus padres con comentarios como "ustedes no me quieren, me odian", ellos se apresuran a asegurarle que es obvio que la quieren. La respuesta que no falla es su recompensa; la niña recibe la atención de sus padres, que le dan su tiempo y energía emocional.

Por otra parte, la eliminación de estas gratificaciones hace que el comportamiento sea menos interesante en términos de la recompensa. Una forma perfectamente buena de castigo es abstenerse de recompensar y para la mayoría de los problemas de comportamiento un sencillo "no quiero discutirlo" es una respuesta efectiva, que no implica una recompensa pero registra el comportamiento y expresa desaprobación.

Eso es diferente de hacer total caso omiso de un comportamiento, lo cual *no* es efectivo. Si los padres no dicen nada en absoluto, es probable que el niño aumente el nivel de impacto del comportamiento hasta *obtener* una respuesta. El comportamiento debe ser reconocido pero no debe ir seguido de largas sesiones de reflexiones o regaños.

"NO QUIERO QUE HAGAS ESO..."

Otro paso de no-recompensa que reconoce una conducta y expresa desaprobación es un regaño breve y enérgico. De nuevo, la brevedad es importante; resístase con firmeza a dejarse llevar a una discusión sobre la conducta.

Santiago es un problema en las comidas, golpea la mesa con el tenedor, la patea, domina la cena con quejas y se niega a comer. Aunque sus padres han aprendido a estimular los momentos en los que se comporta adecuadamente, todavía tiene esos comportamientos irritantes. La respuesta no debe ser sostener prolongados argumentos como en el pasado, sino un corto y enérgico comentario: "No quiero que hagas eso" o "¡Santiago! no golpees la mesa con el tenedor".

Este tipo de regaño, en vez de una gran cantidad de atención, cambia efectivamente el ambiente y, mientras el comportamiento apropiado crece, el negativo tiende a disminuir ya que las recompensas a las conductas negativas se minimizan, excepto por las pocas palabras que expresan una fuerte desaprobación.

LA PAUSA PARA EL AUTOCONTROL

Algunas veces se necesita un castigo más fuerte, pero tenga en mente las normas de que sea justo, poco frecuente, inmediato y breve.

Si Santiago insiste en mantener su comportamiento, no tiene ningún objeto mandarlo a su cuarto, que generalmente es un depósito de juguetes, libros, televisión y otras fuentes de placer, puesto que esta estrategia sencillamente saca al niño de una mala situación, en la que se siente infeliz, y la cambia por una buena situación llena de recompensas. La técnica más efectiva es la que le niega al niño el acceso a la gente, a lo que lo rodea y a las diversas satisfacciones de su mundo.

La pausa para el autocontrol es una ausencia casi total de gratificaciones durante tres a cinco minutos. Es en parte equivalente al anticuado método escolar de sentar al niño en un rincón.

La pausa no es ninguna de estas cuatro cosas:

- No es una forma de juego, en la que el padre-árbitro es una parte del juego.
- No es una forma de distracción, con el objeto de detener una conducta ofensiva cambiando de tema.
- No tiene como objeto humillar, avergonzar o causar dolor.
- No consiste en un acto en que los padres tratan de igualar el impulso de frustración y rabia que consideran intolerable en el niño.

La pausa es una *reacción* firme y decidida ante un comportamiento fuertemente agresivo y fuera de control. Interrumpe un proceso que va por mal camino, y separa físicamente al niño de su mundo. No espere que el niño se tranquilice, el propósito es demostrar vívidamente las leyes de acción y reacción. Es una técnica extremadamente efectiva cuando se usa poco pero, como cualquier otra medicina fuerte, sus beneficios disminuyen con la frecuencia y desaparecen por completo con el abuso.

Cuando los padres de Delia, de cinco años, me pidieron consejo para manejar problemas que con frecuencia incluían cosas tales como ponerles nombres obscenos a ellos y usar la violencia física, desarrollé unas pautas para ellos.

Primero, cuando Delia presentara comportamientos extremadamente perturbadores, como patear a alguien, insultar a la mamá o al papá, coléricas rabietas o pegarle a uno de los padres, debían decirle *de inmediato:* "Uno *no* _____ (patea, insulta, grita, lo que fuera)".

Luego, *rápidamente*, debían llevarla de la mano, *sin decir nada más*, y sentarla en un asiento pequeño frente a una pared *vacía*. Esto debía hacerse sólo en la casa y únicamente en presencia de la familia inmediata (el propósito de una intervención nunca es avergonzar al niño). Si Delia gritaba o pateaba mientras estaba en el asiento, o decía que quería ir al baño, no debían hacerle caso. Si trataba de pararse, uno de los padres debía estar lo suficientemente cerca como para volverla a sentar con *rapidez* (sin decir una palabra), evitando una persecución. Si Delia alegaba que se iba a portar bien, no debían hacerle caso, no debían hablarle ni siquiera para decirle que se estuviera callada, ni contestarle sus preguntas o quejas sin importar qué tan imaginativas fueran.

Delia debía permanecer en el asiento durante tres minutos como mínimo. Si al final de los tres minutos había estado callada durante los últimos cinco segundos, los padres debían ir rápidamente a su encuentro, elogiarla, decirle que había estado callada y que se había portado bien y podía levantarse del asiento.

Si después de cuatro minutos Delia seguía pateando o gritando, o incluso hablando, los padres podían reducir el comportamiento de quedarse quieta y en silencio a sólo un par de segundos. Tan pronto se estuviera callada durante ese tiempo, debían ir rápidamente a su encuentro, elogiarla, decirle que había estado callada y que se había portado bien y podía levantarse.

Los padres nunca le debían permitir a Delia levantarse mientras se estuviera portando mal y nunca debían discutir el castigo después.

Si luego Delia quería discutir lo que había pasado, no se le debía permitir ningún tipo de diálogo. Lo único que podían decir era: "Uno no _____", seguido de una frase que volviera a mencionar el comportamiento que se estaba castigando.

El uso sensato de la pausa es probablemente la mejor manera en que un padre puede disciplinar a un hijo por infracciones graves, debido a que demuestra una relación inmediata y obvia entre la acción y la reacción. Por el contrario, suspender algunos privilegios durante largos periodos (días, semanas, meses) fomenta sentimientos profundos de resentimiento hacia los padres. Muchos de nosotros conocemos adultos que recuerdan los castigos más severos de su niñez aun cuando haya olvidado las ofensas que los generaron.

¿Qué quiero decir cuando digo que la pausa es un castigo efectivo si se usa con poca frecuencia y sólo para los comportamientos más graves? Cualquier forma de castigo usada con demasiada frecuencia o por causas mínimas produce rabia y resentimiento hacia los padres y destruye gradualmente los vínculos de afecto entre padres e hijos. Incluso cuando una relación es 99 por ciento cariño y afecto y 1 por ciento castigo, la proporción es demasiado alta en el lado de la escala del castigo. Cuando la pausa se utiliza rara vez, como una respuesta inmediata a un comportamiento extremo, puede eliminar el comportamiento.

LAS RABIETAS DE MIGUEL

Los Pérez son los padres de Miguel, un niño de tres años despierto y vigoroso, que los ha estado volviendo locos.

Durante el último año y medio, Miguel ha aterrorizado a su familia con rabietas cuando las cosas no salen como quiere. Es tan impaciente que cuando quiere la atención de su padre, no puede esperar ni siquiera el tiempo suficiente para que suelte lo que tiene en la mano. Escribe en las paredes, golpea, tira comida en la mesa, tiene rabietas frecuentes y sus padres "no lo pueden llevar a ninguna parte".

Los Pérez me contaron que habían leído "todos los libros sobre niños difíciles" y habían considerado la idea de hacerle una prueba de atención. Cuando llegaron a mi consultorio estaban frustrados y exhaustos.

Me reuní con ellos durante seis sesiones en las que les hice recomendaciones concretas. Dos semanas después de haber comenzado a aplicarlas regresaron, pero esta vez relajados, frescos y felices. Me dijeron que su hijo parecía un niño distinto. Los cambios en los padres eran por lo menos tan dramáticos como la mejoría que reportaban en el pequeño.

Miguel y su familia superaron años de comportamiento doloroso en un tiempo muy corto sin una psicoterapia costosa. Lo que les enseñé en sólo unas pocas semanas fueron los principios de una paternidad positiva y cómo aplicar las reacciones apropiadas a graves comportamientos negativos.

Esto fue lo que les dije:

RECOMENDACIONES PARA MIGUEL

Paso 1

Hagan una lista de cuatro a seis ejemplos semanales de conductas en las que Miguel se portó como un niño grande, haciendo cosas buenas por sí solo y actuando con madurez.

EJEMPLOS:

• Vestirse solo.

• Manejar la frustración con calma cuando las cosas no salen como quiere.

• Cepillarse los dientes antes de acostarse.

• Ayudarle a su padre a lavar el auto (un comportamiento estilo Madre Teresa, pensar en otra persona).

Paso 2

Apliquen la secuencia ABCD de estímulo entre cuatro y seis veces a la semana.

Paso 3

Pausa para el autocontrol:

1. Compren un asiento pequeño de plástico o madera.

2. Pongan el asiento frente a una pared vacía, en un

cuarto de fácil acceso en la casa, *no en la alcoba de Miguel.*

3. No le expliquen a Miguel la razón por la cual el asiento se ha puesto allí. Este método *sólo debe usarse en la casa, sólo ante la familia inmediata, y sólo debido a comportamientos graves, destructivos y peligrosos como:*
   A) Rabietas
   B) Golpear
   C) Morder
   D) Escribir en las paredes
   E) Arrojar comida en la mesa

Cuando observen uno de estos comportamientos:

1. Tomen de inmediato a Miguel de la mano y díganle, *"Uno no _____"* (golpea, etcétera.). *Deben utilizar las palabras, "uno no..."*
2. Siéntenlo rápidamente en el asiento frente a la pared vacía.
3. Manténganse a una distancia entre 30 centímetros y un metro durante todo el tiempo que él esté sentado.
4. Si trata de levantarse del asiento, utilicen las manos para volver a sentarlo *sin decir una palabra,* y con suavidad.
5. Si grita, chilla, patea la pared, insulta o dice que

tiene que ir al baño, *no le hagan caso*. No digan ni una palabra.

6. Miguel debe permanecer en el asiento por lo menos durante tres minutos.

No midan ante él el tiempo con un reloj. No le digan cuánto tiempo durará; en lo que a él se refiere, pueden faltarle trescientos minutos. *No le digan "quédate callado, quédate quieto". No digan nada.*

7. Si trata de hablarles, *no le respondan ni una palabra.*

8. Después de tres minutos, esperen hasta que haya estado sentado en silencio durante cinco segundos. Luego díganle que ha estado tranquilo, que se ha portado bien y que ahora puede levantarse del asiento. (Si mientras está sentado sigue portándose mal por más de cuatro minutos, déjenlo levantarse después de uno o dos segundos de buen comportamiento en silencio.) *Nunca le permitan levantarse del asiento a menos que haya estado en silencio.*

9. Si se niega a levantarse del asiento díganle: "Puedes levantarte cuando quieras".

10. Sobre todo, *eviten comenzar una persecución*. Una persecución es divertida y éste no es un momento de diversión.

EL ABCD DEL REFUERZO POSITIVO

Obviamente, la crianza de un niño involucra muchas otras cosas fuera del castigo y nunca les doy a los padres consejos sobre disciplina sin contarles primero el ABCD y otras recomendaciones para fomentar conductas positivas que harían innecesario el castigo. (Ver en el capítulo 5, la sección "Comunicando valores".)

Un caso típico en el que utilicé este enfoque tuvo que ver con Cristina, de cinco años, a quien sus padres describieron como "furiosa, siempre con rabietas, muy exigente y con una personalidad muy fuerte".

Previsiblemente, la mayoría de las rabietas eran el resultado de que las cosas no salieran como Cristina esperaba. Cuando la madre le daba un panecillo con mantequilla de maní en vez de mantequilla común, la niña se ponía furiosa. Estallaba durante el baño porque no quería compartir la tina con su hermana. Hacía una escena cuando la madre establecía un horario para que se vistiera. Estos incidentes estaban ocurriendo una o dos veces al día, lo cual era una ligera mejoría, según sus padres, en comparación con la época álgida que tuvo lugar durante los "terribles dos", pero la situación aún era desalentadora. Me contaron que parte importante del problema era la rivalidad entre Cristina y su hermana menor.

Lo primero que hicimos fue establecer los objetivos de los padres al consultarme sobre el problema. Querían que su hija fuera más sensible a las necesidades de los demás, lo que definieron como que "comenzara a escuchar". Querían acabar con la rabia en la casa y que todos pudieran ser felices. Querían que las niñas jugaran juntas y que se entendieran bien.

Cuanto más avanzábamos en los detalles del caso, se hacía más obvio que los dos elementos principales de la conducta de Cristina eran su competencia con su hermana menor y la frustración cuando las cosas no salían a su manera. De acuerdo con esto, les aconsejé a los padres llevar un diario de los momentos concretos en los que Cristina fuera cariñosa con su hermana; se preocupara por cualquier persona diferente de ella, se portara estilo Madre Teresa, y asumiera con calma la frustración. No tenía que ser un recuento minuto a minuto de cada estado de ánimo. Les dije que trataran de anotar entre cuatro y seis ejemplos semanales.

En el curso de las siguientes semanas, los padres observaron y anotaron varios de estos momentos positivos: cuando Cristina les ayudaba a darle de comer a su hermanita que lloraba, cuando respondió con rapidez tan pronto se le dijo que era hora de acostarse, cuando fue atenta y cariñosa con su abuela que vino de visita. Luego siguieron la secuencia ABCD (capítulo 5) de estímulo positivo.

A medida que las acciones positivas de Cristina le proporcionaban elogios y estímulos, se volvieron más comunes y con el tiempo desplazaron a las otras formas negativas en las que se relacionaba con su hermanita y con todos los demás a su alrededor.

Capítulo dieciséis

INVIRTIENDO
EN LO INVISIBLE

¿Recuerda usted el refrán "de tal palo tal astilla"? Hay un momento en nuestra vida en el que empezamos a oírlo de una manera diferente, cuando desplazamos el enfoque de nuestros padres a nuestros hijos. Para los que nos antecedieron, somos la astilla y para los que nos siguen nos convertimos en el árbol.

Una cosa buena de este dicho es que no tiene ninguna pretensión sobre si la genética tiene una influencia mayor que el ambiente. Sencillamente dice que hay patrones familiares, para bien o para mal, que se transmiten a través de las generaciones.

El primer árbol registrado en la historia, en el Jardín del Edén, fue el Árbol del Conocimiento. Y los frutos de este árbol les concedieron a Adán y Eva, entre toda la creación, la capacidad de distinguir entre el bien y el mal. Los teólogos señalan ese evento como el momento en el cual el animal humano recibió el libre albedrío y, con él, la responsabilidad por nuestra alma. Hasta ese momento Adán y Eva no tenían ninguna razón para procrear —de hecho, al parecer le habían prestado escasa atención a sus diferencias anatómicas—, tal vez porque al ser hechos a imagen y semejanza del Creador asumían que eran inmortales. De tal manera que comer el fruto del Árbol del Conocimiento, marcó también el comienzo de la raza humana.

Ése es el tema de este libro, porque de eso se trata la vida. Todavía somos responsables de nuestra alma. Y hacemos parte de la línea de las generaciones.

EL PODER SILENCIOSO DEL ESTÍMULO

B.F. Skinner ha observado que los efectos del refuerzo positivo son silenciosos y que hasta sus consecuencias más dramáticas no se dan a conocer de inmediato. Al igual que con todas las demás formas de gratificación postergada, los padres deben tener visión, confianza y voluntad para perseverar en sus esfuerzos con base, por lo menos al comienzo, en la fe en las cosas invisibles. Algunas veces el proceso pone a prueba nuestra paciencia, pero si el ejercicio es bueno para el carácter de un niño, sin duda también fortalece el nuestro.

De otra manera, las implicaciones de las observaciones de Skinner son atemorizantes. Si el enfoque negativo de nuestro mundo, incluyendo nuestra tendencia hacia la violencia, es resultado del hecho de que el proceso es silencioso, entonces la mayor parte del comportamiento humano, al igual que el comportamiento de todos los demás animales que están más abajo en la escala filogenética, está bajo la influencia de las reacciones inmediatas. Cuando las personas prefieren comportamientos que llevan a resultados positivos inmediatos, como comerse el "marshmallow", entonces los actos y las decisiones que producen gratificación postergada ocurrirán con menos frecuencia.

En lo que se refiere al cariño humano, al afecto y a la preocupación por los demás, e incluso a la planeación de nuestro propio futuro o del bienestar espiritual de nuestros hijos, estos comportamientos recibirán menos estímulo debido a que tienen consecuencias silenciosas, pues sus resultados suceden más allá de nuestra vista y, en algunos casos, más allá de nuestra vida. Si las personas no pueden postergar la gratificación cuando la recompensa no está al alcance de la vista, incluso si el beneficio está garantizado, entonces el Edén podría no haber existido.

La buena noticia para los lectores de este libro es que rara vez la demora es muy larga. Al trabajar con padres que tienen problemas con sus hijos, no es raro que la mejoría radical en el comportamiento de un niño se produzca en semanas o, en algunos casos, en días. Estos cambios no se dan por azar. Son resultados específicos y predecibles de las recomendaciones escritas que les doy, enseñándoles la manera de elogiar, amar y animar a sus hijos para lograr comportamientos positivos.

Educar niños felices significa crear las condiciones para que sean adultos felices, que encuentren las satisfacciones de la vida al alcance de su mano en vez de estar eludiéndolas siempre.

Hace poco una madre me decía, al discutir los problemas de comportamiento de su hijo: "¿Que qué quiero para él? Sólo quiero que sea feliz". Eso es lo que todos queremos para nuestros hijos, y la manera de tener hijos felices es transmitirles los comportamientos que significan la felicidad y que crean los sentimientos de autoestima que duran toda la vida: ser buen amigo, conocer la satisfacción que produce la responsabilidad, tener sed de conocimiento y poseer sentido del cariño.

En el curso de mi práctica, cuando se da un cambio radical, algunas veces los padres que contribuyeron a que esto sucediera ofreciéndole a su hijo un programa cuidadoso y muy centrado de estímulo sistemático, le atribuirán los resultados a algo tan poco deliberado como un nuevo corte de pelo, las vacaciones escolares o la llegada de la primavera. Si esto sucede, les cuento la historia del Thorazine.

Sucedió durante una reunión a la que asistí en el Hospital de Veteranos en Brockton, Massachusetts. Se estaba considerando dar de alta a un hombre que había sido paciente de hospitales psiquiátricos durante diecisiete años. Todas las personas que habían estado en contacto con él estaban sentadas alrededor de una gran mesa y le hacía preguntas para ver si estaba listo para enfrentar el mundo por sí solo. Respondió a cada una de las preguntas tan normalmente como si usted o yo las hubiéramos contestado.

La pregunta final fue del psiquiatra encargado. "Usted ha estado en hospitales psiquiátricos por más de diecisiete años y se está considerando darlo de alta —comenzó—. Es un cambio bastante grande. ¿Cómo cree que llegamos a este punto? ¿Cuál es la principal razón?"

El hombre asintió con simpatía y su respuesta sonó tan normal como todo lo que le había dicho antes. Contestó que se debía a la fuerza que el Señor le había dado; Dios lo había curado y esa nueva fortaleza estaba a punto de ponerlo en libertad. "Después de todo lo que he pasado, después de todo lo que mi familia ha soportado, el Señor ha respondido a nuestras oraciones".

El doctor puso la mano sobre la mesa. "Este hombre no será dado de alta", dijo, finalizando la entrevista.

Dos semanas después, todos volvimos al salón de reuniones: la misma reunión para dar de alta, el mismo paciente, el mismo psiquiatra. El paciente era tan lógico y coherente como lo había sido dos semanas antes. La diferencia estuvo en su respuesta a la última pregunta, "¿Por qué cree que se le va a dar de alta?" Contestó con tres palabras. "Debido al Thorazine".

Esta vez se le dio de alta.

Lo que el psiquiatra estaba tratando de comunicarle al paciente era que Dios no había sido el responsable de su recuperación de una psicosis, o de su capacidad recién adquirida de funcionar fuera del hospital. Había sido su medicamento, el poderoso tranquilizante Thorazine. Puesto que tenía que tomar Thorazine todos los días para poder vivir fuera del hospital, necesitaba todo el estímulo que el psiquiatra pudiera darle para ayudarlo a tomar el medicamento. Era el Thorazine, no Dios, el que lo podía mantener afuera y saludable. Y si dejaba de tomar la droga porque decidía mejor depender de Dios, pronto volvería al hospital.

Lo mismo sucede con el estímulo. A los padres que fomentan sistemáticamente conductas positivas en un niño, con frecuencia se les dificulta creer los cambios impresionantes que ocurren en un tiempo tan corto. Actúan como si la mejoría se diera por alguna otra razón. A diferencia del Thorazine, los beneficios del estímulo adecuado durarán toda la vida y la necesidad de seguir estimulando disminuirá gradualmente con el tiempo.

Los cimientos para los largos años que hay entre la adolescencia y la vejez se establecen durante los primeros doce años de la vida, cuando el conjunto de comportamientos de lo que podríamos llamar la personalidad del individuo se aprende bajo la orientación de los padres.

Si volver a casa a tiempo se considera maduro para un niño de diez años, será lo mismo para un joven de dieciséis. Si contestar el teléfono y tomar bien un mensaje es una manera de ser responsable para alguien de seis o siete años, el joven de diecisiete va a saber sin pensarlo que es responsable cuando cumple con esas obligaciones. Si un niño pequeño respeta los sentimientos y bienes de los demás debido a que es un comportamiento cariñoso que es maduro, el adolescente se va a portar de la misma manera. La consideración en los niños lleva a que haya adultos considerados, matrimonios felices en los que la pareja no necesita programas de días cariñosos para mostrar sus sentimientos. La existencia de adultos considerados supone la existencia de padres que a su vez les enseñarán a sus hijos a serlo. Los niños a quienes se les han fomentado comportamientos de sed de aprendizaje serán adultos que no dejarán de aprender, a pesar de haber terminado su educación formal.

Con el tiempo, los padres no pueden evadir la evidencia de que *hay un proceso en curso*. Reconocen estos cambios como la recompensa a sus acciones en pro de los beneficios a largo plazo para sus hijos y toda la familia, acciones que al comienzo estuvieron guiadas por la fe en lo invisible.

Para bien o para mal, los niños siguen reclamando sus derechos de nacimiento y el legado de su generación.